AROMATERAPIA FEMENINA

Una guía basada en evidencias clínicas para matronas, enfermeras, doulas y terapeutas

PAM CONRAD PGd, BSN, RN, CCAP

Dedicado a todas las mujeres, especialmente a mi madre Shirley y a mi hija Katie

Contenido

Agradecimientos

Agradezco a todas las mujeres, practicantes, amigas y pacientes que han caminado conmigo en este viaje aromático de 20 años y son la inspiración para este libro. Un amor especial para mi hija y mi madre por soportar innumerables preparaciones de aromaterapia escondidas en sus bolsos y mochilas cuando todos sus amigos solo usaban remedios farmacéuticos "normales". Un agradecimiento especial a mi editor, James Cherry, quien identificó una brecha para una guía de aromaterapia basada en evidencia clínica para profesionales dedicados la salud femenina y me contactó para compartir mis años de experiencia en aromaterapia de enfermería. Inmensa gratitud a todas las enfermeras, comadronas, doulas y terapeutas que han sido mis estudiantes y a todas las mujeres que hemos tratado con aromaterapia que han compartido sus experiencias con nosotros. Un sincero agradecimiento a las 28 mujeres valientes en nuestro estudio de investigación de aromaterapia de ansiedad y depresión posparto cuyos resultados guían a otras mujeres y profesionales con métodos simples de aromaterapia para ayudar a las mujeres que sufren angustia emocional en la maternidad temprana.

Hace muchos años, como enfermera nueva trabajando en el turno nocturno en la unidad de cardiología en el Instituto del Corazón de Texas, un paciente joven, su esposa y su madre estaban aterrorizados por la cirugía cardíaca programada en solo unas pocas horas. Yo siempre estoy cómodo calmando y educando a los pacientes, ahi todos hablaban español y yo solo hablaba inglés, no podía explicarles la situación y no había intérpretes disponibles a las 3 de la madrugada. Esa noche, comencé mi largo viaje con muchas lagunas para aprender español, al menos lo suficiente como para comunicar términos médicos y garantías a mis pacientes y sus familias. Creo que este libro comenzó esa noche con una madre preocupada por su hijo, (una emoción universal) que me enseñó como profesional de la salud el valor de comunicarme en un idioma nativo, especialmente debido a la vulnerabilidad del paciente o miembro de la familia en situaciones como esta. Todavía pienso en ellos y desearía haberlos tranquilizado esa noche.

Recientemente ha sido un honor viajar a Chile en dos ocasiones para educar a las madronas y a las doulas en aromaterapia basada en evidencia y, como resultado, hacer que las mujeres en Chile y las Islas de Pascua reciban atención profesional de aromaterapia durante el parto. ¡Gracias a Stephanie Galan y Carolina Gomez por la iniciativa y la invitación para que esto suceda, y a Eva Obregón Domínguez por la referencia! Realmente es un mundo pequeño que mejoró mi compromiso de tener mi libro disponible para mujeres y profesionales de habla hispana.

Muy honrada y agradecida gracias a mis mentoras y maestras, Denise Tiran, Ethel Burns y Jane Buckle, expertos internacionales en aromaterapia de enfermería y partería que iniciaron y enriquecieron mi viaje como enfermería en la aromaterapia para la salud de las mujeres.

Un agradecimiento especial a mis padres por una infancia en nuestra farmacia familiar enfocada en mejorar la salud y el bienestar de los demás, y a mi hermano, Dan, por mostrarme la importancia de la pasión en el camino elegido. ¡Y para mi esposo, Rod, cuyo amor, amistad y apoyo constante realmente aprecio, y nuestros hijos, Katie y Ryan, los tesoros de mi vida, cuyo amor, carácter personal y logros me inspiran y me enorgullecen de ser su madre!

Terminología importante

Aborto involuntario-pérdida fetal / pérdida del embarazo antes de las 20 semanas

Aceite esencial-aceites altamente concentrados extraídos y destilados de plantas aromáticas

Amenorrea- ausencia de período menstrual (más común en corredores, bailarines y gimnastas y mujeres con algunos trastornos alimentarios)

Anteparto-antes del nacimiento

Anticoagulante – medicamentos anticoagulantes que afectan la coagulación de la sangre

CAM – Medicina Alternativa Complementaria

Cardíaco – perteneciente al corazón

Cesárea / cesárea – parto por cirugía

Dismenorrea – períodos menstruales dolorosos

Eclampsia – condición grave antes, durante o después del parto con síntomas anteriores y aparición de convulsiones: **Alto riesgo**

Epidural – inyectada en el espacio epidural espinal para alivio del dolor durante el parto

Esterilidad – incapacidad para concebir / quedar embarazada después de un año de relaciones sexuales sin protección

Hemorragia – sangrado excesivo: **mayor riesgo**

Inducción de pitocina /oxitocina – Medicamentos intravenosos (IV) para iniciar / inducir contracciones del parto

Intraparto – durante el parto

Menarquia – primer ciclo menstrual

Menopausia – fin de los ciclos menstruales (sin período por un año consecutivo); edad promedio 51

Menorragia – períodos menstruales pesados

Menstruaciones – ciclo menstrual / período mensual

Parto prematuro – contracciones de parto que suceden antes del tiempo **mayor riesgo**

Perimenopausia – tiempo antes de la menopausia, ya que los niveles hormonales están cambiando y los síntomas de la menopausia están aumentando (la duración puede ser de hasta diez años)

Pirexia – fiebre /temperatura corporal elevada que puede ser un signo de infección

Placenta previa-la placenta se coloca en la abertura cervical antes del feto: mayor riesgo

Polihidramnios-exceso de líquido amniótico: **mayor riesgo**

Posparto-después de dar a luz

Portador-loción, aceite o gel sin perfume para diluir los aceites esenciales antes de la aplicación en la piel

Preeclampsia-complicación del embarazo con presión arterial elevada, proteína en la orina, hinchazón / edema: **mayor riesgo**

Prenatal/prenatal-embarazo antes del nacimiento

Renal-perteneciente a los riñones

Síndrome premenstrual/SPM-Varios síntomas físicos y emocionales incómodos experimentados por algunas mujeres antes del inicio del período menstrual

Sofocos-Aumento rápido de la sensación de calor y aumento de la transpiración asociado con menopausia / cambios hormonales

Sudores nocturnos-sensaciones de calor y transpiración en la noche asociadas con menopausia / cambios hormonales

Trabajo de parto establecido-Contracciones rítmicas regulares del útero y dilatación progresiva del cuello uterino.

Transversal, rectal o mentira inestable-el feto no en la primera posición de cabeza : mayor riesgo

Introducción

La infancia que pasé en la farmacia de mi padre inspiró mi dedicación a la medicina y la educación, y el deseo de ayudar a otros a alcanzar la salud y el bienestar con algún tipo de remedio, píldora o planta. Respetar la cantidad óptima de un medicamento probado para lograr el mejor resultado con la menor cantidad de riesgo era solo sentido común. Con fuertes raíces ancestrales, un camino hacia la enfermería estaba pavimentado con intriga y respeto por todo lo médico, acompañado de un profundo deseo de experimentar y comprender la condición humana de cerca y personalmente.

Después de graduarme de enfermería en la Universidad de Purdue, el camino me llevó a mi primer puesto en el Instituto del Corazón de Texas y, durante las siguientes tres décadas, practiqué como enfermera de trauma, psiquiatría y salud de la mujer. Absorto con el drama de la condición humana en su punto más vulnerable y la intriga de la medicina, añoraba el conocimiento y las herramientas especiales para llenar los vacíos de la medicina moderna. En los primeros días de la medicina holística / preventiva, las prácticas de estilo de vida se identificaron como probables factores de riesgo de eventos cardíacos y cáncer. Inspirado por estos hallazgos, emprendí una búsqueda de oportunidades educativas en modalidades nutricionales, herbales y para reducir el estrés. Se ofreció una oportunidad para estudiar aromaterapia clínica para profesionales de la salud en el Centro Médico de la Universidad de Indiana y mi educación fue apoyada con entusiasmo por el Centro de Excelencia de IU para la Salud de la Mujer. Una modalidad agradable, basada en la evidencia clínica para enfermedades y lesiones menores que facilita los efectos secundarios de los medicamentos y tratamientos necesarios al tiempo que mejoraban el bienestar emocional eran perfectos.

En 2001, después de convertirme en un profesional certificado en aromaterapia clínica (CCAP), nos trasladaron a Inglaterra con el trabajo de mi esposo. Devoré todos los libros e investigaciones clínicas disponibles sobre aromaterapia y salud de la mujer, todos ellos escritos por parteras y enfermeras del Reino Unido. Una vez en Inglaterra, hice una pasantía en el Hospital Queen Mary y en la clínica prenatal durante un año con Denise Tiran, partera, profesora y experta internacional en aromaterapia en el embarazo y el parto. Con el objetivo de regresar a los EE. UU. Para practicar y enseñar a las enfermeras aromaterapia clínica junto a la cama, adquirí conocimientos especializados y habilidades prácticas para proporcionar terapias complementarias a las mujeres para aliviar sus molestias y mejorar sus experiencias de parto. Además, me reuní y consulté con las parteras de Oxford

(Burns et al. 2000) que realizaron un estudio clínico de ocho años con 8058 mujeres en trabajo de parto que recibieron tratamientos de aromaterapia para el dolor, las náuseas, la ansiedad y las contracciones, y continúan su programa hasta el día de hoy. Esta experiencia y conocimiento adquiridos son la base del curso de Aromaterapia Clínica de Salud de la Mujer para enfermeras y parteras, el único curso clínicamente basado en evidencia en los EE. UU. Para enfermeras de salud de la mujer desde 2008 y aprobado por la Asociación Americana de Enfermeras Holísticas, una división de la American Asociación de enfermeras. Cientos de enfermeras de EE. UU. Ahora practican con seguridad la aromaterapia basada en evidencia clínica con sus pacientes en clínicas y hospitales. El objetivo de este libro son los resultados y las lecciones aprendidas de 20 años de seguir la base de evidencia clínica de aromaterapia en la práctica, desarrollar un plan de estudios para enfermeras y parteras, realizar investigaciones y compartir los datos de más de 1500 tratamientos de aromaterapia.

El mundo de la aromaterapia ha cambiado dramáticamente desde que ingresé al campo hace 20 años. Una advertencia: el grado de popularidad actual de la aromaterapia supera con creces el número de personas formadas formalmente en el campo. Existe una tendencia actual hacia una fuerte lealtad de las compañías de aceites esenciales multinivel, consumo diario, uso excesivo y reclamos exagerados inseguros sin una educación y comprensión adecuadas. Mujeres en embarazo /posparto debe evitar este tipo de aromaterapia. La enfermería es la profesión más confiable en nuestra sociedad a través de nuestro cuidado competente, el conocimiento de la práctica segura actual y la defensa del paciente. Estoy escribiendo este libro después de 20 años de práctica de aromaterapia de enfermería para compartir profesionalmente lo que sé que es seguro y efectivo con un riesgo muy mínimo, y 30 años desde que comenzó el primer estudio en una unidad obstétrica (OB) en Oxford, Inglaterra, no ha habido un solo incidente grave que involucre a una mujer o bebé. La base de evidencia clínica en este libro proporciona al profesional la prueba y la justificación de sus opciones de métodos y aceites esenciales para aliviar el sufrimiento de los pacientes. Este es el estándar de práctica para la aromaterapia de enfermería.

Como enfermera de 30 años y aromaterapeuta clínica certificada durante 20 años, he atesorado mi capacidad de ofrecer a los pacientes y educar a las enfermeras y parteras en las herramientas de "aroma afectuoso" de la aromaterapia. El amplio alcance de la salud física y emocional de las mujeres, a menudo alterado por el equilibrio hormonal, siempre me ha intrigado, así como la multitud de respuestas positivas que he presenciado con la aromaterapia.

Como enfermera, el frecuente "Aún no es hora de tomar su medicamento", ya que un paciente incómodo solicitó algo de ansiedad o dolor, comenzó una búsqueda de 20 años de medidas de comodidad complementarias para la atención del paciente. La aromaterapia clínica llena este vacío en el tiempo y alivia el sufrimiento innecesario sin potenciar los factores de riesgo o los efectos secundarios.

Los estilos de vida estresantes se han identificado como la causa más común de progresión de la enfermedad y un mayor riesgo de resultados negativos. Las mujeres modernas, a menudo a cargo de la atención médica personal y familiar, buscan alternativas de tratamiento y remedio por razones de economía, confianza, mejores resultados y menores riesgos. En los últimos 20 años, múltiples eventos médicos han aumentado la conciencia, disminuido la confianza en el status quo y llevado a una mayor responsabilidad personal en las elecciones de atención médica. Las condiciones hormonales, físicas y psicológicas y sus tratamientos estándar han sido objeto de escrutinio. En 2002, el estudio multicéntrico de Iniciativa de Salud de la Mujer (WHI) finalizó prematuramente ya que se identificaron factores de riesgo graves con la terapia estándar de reemplazo hormonal (TRH) para la menopausia. Los fabricantes de medicamentos comunes para el dolor crónico han admitido que sus datos inéditos mostraron un mayor riesgo cardiovascular con el uso prolongado de sus medicamentos. Los medicamentos antidepresivos seleccionados parecen aumentar el riesgo de suicidio en adultos jóvenes y ahora se requiere que tengan advertencias de recuadro negro en sus etiquetas. Los efectos secundarios comunes de los productos farmacéuticos de rutina están causando estragos en los cuerpos de las mujeres. Todos estos eventos recientes han disminuido la confianza en la atención médica tradicional, llevaron a las mujeres a buscar alternativas y mejoraron el crecimiento de la medicina alternativa complementaria.

La aromaterapia es una terapia complementaria relacionada con la medicina a base de hierbas, identificada a través de excavaciones arqueológicas de hace 60,000 años como la terapia medicinal más antigua conocida para humanos. Los aceites esenciales, "las herramientas de la aromaterapia", disponibles en pequeña escala desde la década de 1960, han experimentado recientemente una explosión de popularidad entre las mujeres que buscan alternativas para el alivio del estrés, las molestias físicas y la agitación hormonal. Este libro diferenciará el tipo de aromaterapia que utiliza productos vendidos directamente por laicos o en tiendas y que practican profesionales de la salud con licencia educados en aromaterapia clínica para el ámbito de la salud.

En la última década, las grandes compañías competitivas multinivel han vendido aceites esenciales por un valor de millones de dólares a personas con reclamos sin fundamento de prevenir enfermedades y proporcionar curas para una amplia gama de afecciones sin estudios de investigación o una base de evidencia para probar sus reclamos. Con la aromaterapia ganando atención como una modalidad de curación, ahora está más fácilmente disponible que en el pasado, lo que tiene muchos aspectos positivos. Sin embargo, la creencia en la aromaterapia como una panacea para todas las afecciones a menudo pasa por alto los riesgos potenciales de combinar aceites con productos farmacéuticos y afecciones médicas modernas. Se recomienda un poco de precaución para los métodos específicos de aromaterapia y la selección de aceites con embarazo, lactancia, afecciones médicas graves y medicamentos. Al describir los muchos beneficios y riesgos específicos con la aromaterapia se destaca la importancia de la educación en aromaterapia de enfermería y obstetricia basada en evidencia clínica que se encuentra en este libro.

Profesionales de la salud con licencia practican aromaterapia clínica como una especialidad de enfermería y partería con educación avanzada en aromaterapia para afecciones clínicas. La aromaterapia clínica se define como el uso terapéutico de aceites esenciales para un resultado medible y es el enfoque de esta guía de enfermería y partería de aromaterapia clínica para la salud de esta mujer. Los terapeutas que practican la salud de la mujer encontrarán que este es un recurso útil para su práctica.

Certificado como practicante de aromaterapia clínica especializada en la salud de la mujer durante 18 años en enfermería, he practicado aromaterapia de enfermería en los EE. UU. Y el Reino Unido, he enseñado a enfermeras, parteras y doulas en los EE. UU. Y Chile, desarrollé el primer programa de aromaterapia de la unidad de obstetricia del hospital en el Estados Unidos y realizó y publicó investigaciones en aromaterapia para la depresión posparto.

Este libro se enfocará únicamente en la base de evidencia clínica, en otras palabras, los resultados de estudios de investigación aprobados éticamente realizados en mujeres que dan su consentimiento (embarazo / menopausia) por enfermeras, médicos y científicos en entornos clínicos. Los aceites esenciales, las concentraciones y los métodos exactos se compartirán para facilitar la práctica segura con las referencias de apoyo que lo acompañan. Este diseño práctico es una guía para enfermeras, parteras y doulas ocupadas con cinco minutos para acceder a información de aromaterapia para sus pacientes, para que el terapeuta planifique un próximo cliente y cualquier mujer interesada en una aromaterapia segura y efectiva comprobada para su salud y bienestar .

La aromaterapia clínica es una herramienta maravillosa para mejorar la atención de enfermería, obstetricia y terapeuta de pacientes y clientes, y el autocuidado personal. Como enfermera de trauma, psiquiátrica y de salud femenina, busqué durante años este componente faltante de atención.

Hay una explosión actual de popularidad para la aromaterapia en la población general con la creencia común de que "natural = seguro" y que uno puede cuidar a su familia y amigos sin incurrir en costosas facturas médicas. Los vecinos, los miembros de la familia, el clero y muchas personas bien intencionadas y confiables a menudo guían las ventas y las recomendaciones. A menudo se hacen afirmaciones extremas sin el beneficio de la educación formal en aromaterapia o estudios de investigación (base de evidencia) para apoyar convicciones fuertemente arraigadas. Financialmente, se puede ganar mucho con recomendaciones de uso diario para curas, salud y bienestar por una suma de millones de dólares.

Los cuerpos de las mujeres son milagros, producen milagros y a menudo soportan décadas de molestias físicas y emocionales mensuales. Como mujer, enfermera, madre y aromaterapeuta clínica, he sido testigo de innumerables beneficios terapéuticos de la aromaterapia clínica en el cuidado de la salud clínica y personal de las mujeres. Como terapia complementaria para enfermeras y parteras en ejercicio, comparto lo que he aprendido hasta ahora para mejorar su práctica y alentarla a seguir de cerca la base de evidencia clínica provista en este libro. Ha resistido el paso del tiempo, hay mucho y, como los profesionales de la salud más confiables, se lo debemos a las mujeres bajo nuestro cuidado.

Esta guía sirve como referencia clínica rápida en un hospital, clínica o práctica privada para tratamientos de aromaterapia que se han investigado y demostrado que son seguros y efectivos en diversos entornos de atención médica para mujeres. Las referencias específicas con un resumen de los hallazgos clave se enumeran con los aceites individuales para compartir con los pacientes, profesionales de la salud y colegas escépticos, y para mantener con sus suministros de aromaterapia.

En el embarazo, este libro es una herramienta para la educación del parto, así como una útil guía de comparación de aceites y mezclas que las mujeres traen de casa para el trabajo de parto y el parto. La sección con la mayor base de evidencia clínica central es el trabajo de parto y el parto, que ofrece múltiples opciones para las molestias físicas y emocionales utilizadas en la práctica de la partería y la enfermería durante casi 30 años. En la atención posparto, las mujeres modernas buscan opciones suaves para el apoyo emocional en su nuevo rol y la atención médica de su familia. La aromaterapia ofrece maravillosas herramientas de autocuidado de apoyo para mejorar la curación y alentar el viaje de una mujer hacia la maternidad.

En la atención ginecológica (GYN), este libro puede utilizarse como un recurso para educar y empoderar a las adolescentes que sufren con ciclos menstruales dolorosos, las mujeres más jóvenes con la miseria física y emocional del síndrome premenstrual (SPM) y las mujeres de mediana edad con estragos menopáusicos, al ofrecer

Opciones no farmacéuticas integrales y eficaces con pocos o ningún efecto secundario.

Las enfermeras y las comadronas a menudo expresan su frustración por la falta de educación de calidad en aromaterapia para la salud de las mujeres, sintiéndose desinformadas acerca de qué aceites son efectivos, seguros o inseguros cuando sus pacientes preguntan sobre aromaterapia. Espero sinceramente que esta guía aclare para el profesional de la salud y las mujeres bajo su cuidado, la aromaterapia más efectiva y segura para una amplia gama de condiciones de salud de la mujer.

Como profesional, usted también puede cosechar los suaves beneficios para aliviar el estrés de la aromaterapia. Con respecto al "cuidado del cuidador", esta información puede servir para apoyar física y emocionalmente su propio cuidado personal y ser una herramienta de salud y curación para usted y sus seres queridos.

Capítulo 1

¿Qué es la aromaterapia clínica?

Cuando uno piensa en "aroma", generalmente piensa en algo perfumado. Las imágenes de spas, velas y masajes en la playa nos vienen a la mente cuando escuchamos el término "aromaterapia". En la última década, el mundo de la aromaterapia ha experimentado un crecimiento y popularidad fenomenales en la población general fuera de la industria tradicional de la salud. En 2016, el mercado mundial de aromaterapia se valoró en USD 1.07 mil millones y se espera que continúe aumentando en los próximos años (Grand View Research 2017). Este rápido crecimiento en la industria de la aromaterapia, provocado por la profunda lealtad de las compañías y las oportunidades comerciales para vender aceites esenciales sin antecedentes médicos o educación clínica en aromaterapia, puede ser un desafío para la enfermera o partera a quien se le presenta con una mujer que llega al hospital en trabajo de parto con una bolsa grande de aceites mezclados que quiere usar. ¿Qué es seguro de usar? ¿Qué ayudará a la mujer en el parto? El propósito de este libro es proporcionar información específica sobre los aceites esenciales, que se pueden utilizar para apoyar la salud de las mujeres y educar a las lectoras / enfermeras, parteras, doulas y terapeutas en lo que sabemos de los estudios de investigación de aromaterapia en mujeres para informar su práctica clínica.

En 2004, el Premio Nobel de Fisiología o Medicina fue otorgado a los fisiólogos Drs. Axel y Buck por identificar más de 1000 receptores de olores en humanos, desentrañando los misterios de nuestro sentido del olfato y destacando así el tremendo potencial terapéutico de la aromaterapia (Premio Nobel 2004). En mi experiencia, la mayoría de los norteamericanos prefieren aromas florales, cítricos o de especias familiares como introducción a la aromaterapia. Nos repelen o nos advierten los olores desagradables y poseemos recuerdos de toda una vida relacionados con nuestras culturas, tradiciones y experiencias de vida que influyen en nuestras reacciones al olor. Cuando sea posible, particularmente en el tratamiento de afecciones emocionales, brinde una opción de aroma, que mejore la efectividad terapéutica.

Las herramientas de la aromaterapia son aceites esenciales, destilados al vapor o prensados en frío de diferentes partes de plantas aromáticas. Están muy concentrados y, dependiendo del rendimiento de la planta, pueden ser bastante caros. Un ejemplo de la concentración de un aceite esencial es que "Veintiocho bolsitas de té de hierba de menta producen una gota de aceite esencial de menta". Se necesita muy poco aceite para disfrutar el aroma o producir un resultado medible en la aromaterapia clínica.

En hospitales y entornos clínicos, el tipo de aromaterapia que practican las enfermeras se conoce como aromaterapia clínica. La diferencia entre la aromaterapia personal convencional y la aromaterapia clínica es la formación académica del profesional y la educación en aromaterapia basada en evidencia clínica específica de las áreas clínicas. Las enfermeras y las parteras con educación avanzada en aromaterapia clínica aprenden sobre aceites esenciales específicos, sus propiedades terapéuticas y métodos que se han investigado clínicamente en humanos y se ha demostrado que son efectivos y seguros. La aromaterapia clínica se define como "el uso terapéutico de aceites esenciales para un resultado medible" (Buckle 2001); en otras palabras, al igual que con una escala de dolor, le pedimos al paciente su calificación numérica del tratamiento pre y post aromaterapia para una afección en particular. Esto se conoce como escala Likert (0 = sin molestias; 10 = peor incomodidad) y las enfermeras y parteras lo usan a diario en todos los entornos clínicos para determinar los efectos de varios tratamientos.

Existen aceites esenciales específicos y métodos de administración que se han demostrado en estudios (basados en evidencia) como efectivos y seguros para condiciones particulares. Las listas de los aceites esenciales y métodos basados en evidencia clínica relacionados con condiciones específicas se resaltará en todo el libro. Los tratamientos en este libro requieren un máximo de cinco minutos, lo cual es de suma importancia para un clínico ocupado.

Escala Likert:

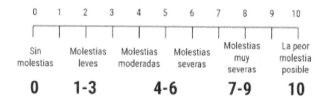

Aromaterapia basada en evidencia versus Aromaterapia Clínicamente basada en evidencia

La aromaterapia basada en la evidencia, simplemente definida, se refiere a una colección de estudios de investigación con aceites esenciales en entornos de laboratorio (in vitro) en anatomía o microorganismos humanos o animales aislados, que miden sus efectos en un ambiente controlado. Para este libro, nos enfocaremos en la aromaterapia basada en evidencia clínica, específicamente la investigación realizada en entornos clínicos aprobados en sujetos humanos (in vivo) por profesionales de la salud educados en aromaterapia, midiendo los efectos antes (pre) y después (post) de Un tratamiento de aromaterapia para una condición particular.

Destacaremos y nos enfocaremos en la base de evidencia clínica específica para las condiciones de salud de las mujeres para informar la práctica segura y efectiva de aromaterapia de enfermería y partería en la atención de Obstetricia y Ginecología .

¿Hay más para la aromaterapia que solo aromas agradables?

A medida que surgen nuevos estudios científicos, los patrones emergentes están demostrando una amplia gama de respuestas fisiológicas y emocionales antes y después de los tratamientos clínicos de aromaterapia. Implementación de escalas estandarizadas para los cambios físicos, emocionales y de comportamiento declarados de dolor, la depresión, la ansiedad y los tratamientos de náuseas antes y después de la aromaterapia demuestran diferencias estadísticamente significativas en los grupos de control. Las alteraciones en los niveles de hormonas y neurotransmisores de los sistemas neurológico y endocrino corresponden positivamente a los efectos observados en las escalas declaradas. Esta combinación de hallazgos repetidos ofrece una idea del potencial futuro de la aromaterapia clínica. A medida que avanzamos, tome nota de la cantidad de estudios variados que indican cambios positivos en los niveles de cortisol, estrógenos, serotonina y signos vitales de tratamientos externos 1-2% simples, rápidos, económicos y de muy bajo riesgo.

Obstetricia y ginecología

El libro está dividido en secciones sobre obstetricia (embarazo / prenatal, trabajo de parto y parto / intraparto y posparto) y ginecología (comienzo de la menstruación / menarca hasta el final de la menstruación / menopausia). Cada sección proporciona orientación sobre las afecciones más comunes que tienen una base de evidencia clínica de aromaterapia. A lo largo del libro se dan pautas específicas simples para elegir y preparar tratamientos de aromaterapia relacionados con afecciones clínicas. Las referencias relevantes se enumeran junto con las recomendaciones para un acceso rápido y fácil a la evidencia clínica para practicar y compartir con colegas.

Mis antecedentes de 30 años en enfermería, 20 tejidos con práctica clínica de aromaterapia en hospitales y farmacias, desarrollo de programas, consultas e investigaciones sin complicaciones serias para la madre o el bebé, le brindan una excelente plantilla para una práctica segura y efectiva. En casos seleccionados, un paso adelante ha sido el desarrollo de mezclas terapéuticas de enfermería simples de 2 a 4 aceites únicos basados en evidencia, creando así sinergias para aumentar el rango de efectos y mantener un número mínimo de aceites para identificar claramente las respuestas positivas y negativas y alterar la mezcla según sea necesario para obtener una respuesta más positiva.

El viaje hormonal de una mujer puede ser bastante turbulento física y emocionalmente, por calambres menstruales, síndrome premenstrual, embarazo y menopausia; durante el embarazo, a pesar de la mayoría plan de parto perfecto, pueden surgir muchos obstáculos que requieren cambios abruptos (y decepcionantes) en la dirección para obtener el mejor resultado. La aromaterapia ofrece a las mujeres apoyo físico y emocional para múltiples afecciones de obstetricia / ginecología y brinda a la enfermera y la partera herramientas seguras, suaves, agradables y efectivas para suavizar los bordes ásperos y proporcionar medidas de confort satisfactorias y afectuosas.

Capitulo 2
Métodos y seguridad

Los cuatro métodos utilizados en la aromaterapia femenina, todos son externos, son los siguientes:

Inhalación: 1–3 gotas en una almohadilla de algodón o con un inhalador personal (directo) o con un difusor (indirecto). La ruta más rápida para la ansiedad, el pánico, el miedo, las náuseas y la percepción del dolor es **inhalación directo**.

Aplicación / masaje de la piel: diluir 1–3 gotas de aceites esenciales en 5 ml de loción sin perfume o aceite vegetal portador (i.e. Semilla de uva, jojoba, coco fracionado, etc). La mejor ruta para cualquier dolor físico e incomodidad.

Baños (baños de todo el cuerpo, de asiento o de pies): agregue de 2 a 8 gotas de aceites esenciales al aceite portador para la dispersión, luego agregue la mezcla al agua tibia del baño. No agregue al baño durante el parto. Si el tiempo lo permite, lo mejor para el insomnio, la reducción del estrés y la curación perineal (sitz).

Spray aromático: agregue aceites (botella de 12 gotas / 1 oz) a la botella rociadora de vidrio, llénela con agua estéril, agite y rocíe. Excelente para los sofocos, refrescante para atletas y largos días, mejorando el área inmediata alrededor de las mujeres en entornos clínicos para crear su propio espacio personal.

Preparando un solo tratamiento de aceite

La concentración normal para un adulto no embarazada es de 1 a 5%, una mujer embarazada de 0.5 a 1% y para trabajo de parto / posparto de 1 a 2%.

- 0.5% = 1 gota de aceite esencial con 10 ml / 2 cucharaditas loción **o** aceite vegetal portador
- 1% = 1 gota de aceite esencial con 5 ml / 1 cucharadita loción **o** aceite vegetal portador
- 2% = 2 gotas de aceite esencial con 5 ml / 1 cucharadita loción **o** aceite vegetal portador
- 3% = 3 gotas de aceite esencial con 5 ml / 1 cucharadita loción **o** aceite vegetal portador
- 4% = 4 gotas de aceite esencial con 5 ml / 1 cucharadita loción **o** aceite vegetal portador
- 5% = 5 gotas de aceite esencial con 5 ml / 1 cucharadita loción **o** aceite vegetal portador

Como puede ver, la cantidad de loción portador, aceite, gel o agua es siempre la misma, pero la cantidad de gotas cambia para desarrollar su porcentaje de 1 a 5%. Si necesita debilitarlo, agregue más portador como en el 0.5% anterior que sería para el embarazo, niños pequeños, ancianos, enfermos o un individuo con aversión a los olores fuertes percibidos.

Si mezcla más de un aceite

Primero, mezcle los aceites en una botella cuentagotas vacía y etiquételo. Es mejor mezclar los aceites para obtener una mezcla de ambos / todos los aceites y luego agregar gotas de la mezcla a la loción, aceite vegetal o gel portador o agua para obtener la concentración adecuada (1 gota / 5 ml = 1%). Alternativamente, puede mezclar aceites primero en una taza de medicamento y luego agregar la cantidad correcta de loción portador o aceite vegetal para obtener el porcentaje total exacto.

Por ejemplo:
1. Mezcle 3 partes de lavanda y 1 parte de limón juntas.
2. Para hacer una mezcla al 1%, agregaría 1 gota de esta mezcla a 1 cucharadita / 5 ml de loción portador.
3. Para hacer una mezcla al 2%, agregue 2 gotas / 5 ml de loción.
4. En una botella de 2 oz para hacer una mezcla de 1%, agrega 12 gotas de aceite esencial en total a 2 oz / 60 ml de loción (1 oz = 30 ml; 2 oz = 60 ml).
5. AGITATE BIEN.
6. Siempre escribe tus mezclas.

La seguridad

Un aspecto importante del éxito con esta terapia suave, particularmente con la paciente obstétrica, es honrar parámetros importantes de seguridad para mantener el menor riesgo posible. Los aceites esenciales son fuertes y muy concentrados y, por lo tanto, solo se necesita una pequeña cantidad (es decir, 1 a 2 gotas de OB, 1 a 5 gotas de ginecología) para un resultado terapéutico.

El grado de concentración y fuerza de varios remedios a base de plantas se demuestra en el siguiente diagrama, y se muestra que los aceites esenciales son los más fuertes / más concentrados. Cuando se usan externamente al 1-2%, son una terapia complementaria muy económica para uso clínico.

MÁS FUERTE / MÁS CONCENTRADO
ACEITE ESENCIAL

TINTURA DE HIERBAS

ACEITE INFUNDIDO

HYDRSOL

MÁS DÉBIL / MENOS CONCENTRADO
TÉ

Una comparación de la fuerza de varias terapias basadas en plantas destaca que la concentración de aceites esenciales es la más fuerte

Toda la evidencia clínica ha involucrado consistentemente aplicaciones externas de 1 a 2% con efectos secundarios no graves poco comunes que podrían ser el resultado de la afección, no la aromaterapia. La siguiente es una lista de las pautas que han perdurado durante los últimos 30 años con miles de mujeres en cientos de hospitales en más de tres continentes y que se recomienda que la enfermera y la partera sigan.

• Educación basada en evidencia clínica para el personal que administra la aromaterapia.
• Todos los tratamientos son externos (inhalación, aplicación en la piel, baños y spray aromatico).
• Utilice únicamente aceites y métodos esenciales clínicamente basados en evidencia.
• Los aceites esenciales son fuertes y muy concentrados.
• Evitar la ingestión.

• Siempre diluya los aceites esenciales en una loción blanca sin perfume, gel de aloe o aceite portador antes de aplicar sobre la piel.
• Solo se requieren 1-2 gotas por portador de 5 ml para un tratamiento clínico de 1-2%.
• Mantenga los aceites esenciales lejos de bebés, niños pequeños, ojos, heridas abiertas y líneas de sutura.
• Mantenga los aceites esenciales en un armario cerrado.
• Siempre tenga reductores de orificio para goteros en botellas; No hay botellas de boca ancha.
• Almacene en botellas de vidrio ámbar o azul cobalto.
• Mantener alejado del sol en un gabinete oscuro y fresco.
• Siga la Hoja de datos de seguridad del material (MSDS) para los aceites esenciales individuales. Análisis de cromatografía de gases / espectrometría de masas (GCMS) para cada aceite
• Deseche los aceites, botellas y toallas de papel empapadas en bolsas Ziploc dobles en contenedores de desechos peligrosos.

Precauciones OB
• Evite los aceites esenciales en el primer trimestre (solo inhalación de limón después de 10 semanas; Yavari et al. 2016).
• Siga la base de evidencia clínica actual para una práctica segura.
• Uso externo solo por base de evidencia clínica.
• Siempre diluya 0.5-1% hasta el término, 2% trabajo de parto / posparto.
• Evitar con epilepsia, embarazos de alto riesgo, enfermedades cardíacas, hepáticas o renales importantes, preeclampsia, eclampsia, pirexia, terapia anticoagulante, polihidramnios, placenta previa, movimientos fetales reducidos, embarazos múltiples más altos (Tiran 2016). Consulte la terminología clave a continuación para obtener una aclaración.
• Tenga precaución con embarazos gemelares, nalgas, posición fetal transversal o inestable, antecedentes de hemorragia vaginal, diabetes, asma, hipertensión, hipotensión, trastornos hemorrágicos, antecedentes de aborto espontáneo, hemorragia, alergias estacionales o múltiples a plantas, alimentos, aromáticos.
• Con trabajo de parto prematuro, solo rociar la habitación

• Evite usar aromas que a la mujer no le gusten.

Seguridad de aceites esenciales

• No ingerir / tomar aceites esenciales internamente.

• Los aceites esenciales no deben usarse directamente sobre la piel.

• Tenga cuidado de que los aceites esenciales sin diluir no entren en contacto con áreas sensibles como ojos, nariz, cara, cuello y genitales.

• Lávese bien las manos después de mezclar aceites o usar aceites en masajes.

• Si tiene las manos doloridas o agrietadas, evite masajearse con aceites y use guantes cuando mezcle aceites.

• Mantenga los aceites esenciales lejos de las llamas desnudas: son altamente inflamables.

• Mantenga los aceites esenciales fuera del alcance de los niños.

• Solo use botellas de aceite esencial con reductores de orificio (gotero interno de tamaño estándar) para cada aceite cuando mezcle.

Listas completa de aceites esenciales para Obstetricia y Ginecología (O y G) **y solo** Ginecología **clínicamente basados en evidencia**

Aceites Esenciales en Obstetricia Y Ginecología

Aceite esencial	Nombre botánico	Obstetricia y Ginecología
Bergamota	*Citrus bergamia*	Obstetricia y Ginecología
Eucalipto	*Eucalyptus globulus*	Obstetricia y Ginecología
Geranio	*Pelargonium graveolens*	Obstetricia y Ginecología
Incienso	*Boswellia carterii*	Obstetricia y Ginecología
Jazmín	*Jasminum grandiflorum y*	Obstetricia y Ginecología

	sambac	
Lavanda	*Lavandula angustifolia*	Obstetricia y Ginecología
Limón	*Citrus limon*	Obstetricia y Ginecología
Mandarína	*Citrus reticulata*	Obstetricia y Ginecología
Manzanilla romana	*Anthemis nobilis*	Obstetricia y Ginecología
Menta	*Menta piperita*	Obstetricia y Ginecología
Neroli	*Citrus aurantium*	Obstetricia y Ginecología
Petitgrain	*Citrus aurantium ssp. Amara*	Obstetricia y Ginecología
Rosa	*Rosa damescena y centifolia*	Obstetricia y Ginecología
Salvia Clara	Salvia esclaria	Obstetricia y Ginecología
Yuzu	*Citrus junos*	Obstetricia y Ginecología

Solo Ginecología aceites esenciales

Aceite esencial	Nombre botánico	Solo Ginecología
Canela	*Cinnamomum zeylancium*	Ginecología
Clavo	*Syzgium aromaticum*	Ginecología
Ciprés	*Cupressus sempervirens*	Ginecología
Mejorana dulce	*Origanum majoram*	Ginecología
Rosemary	*Rosmarinus officinalis*	Ginecología
Ylang-ylang	*Cananga odorata*	Ginecología

OBSTETRICIA

Capítulo 3

Embarazo/Aromaterapia Prenatal

En este capítulo exploraremos la base de evidencia clínica para el uso de la aromaterapia durante el embarazo: la etapa prenatal. El papel de la enfermera y la partera como defensora del paciente y educador a es especialmente importante y bienvenido en esta etapa. La aromaterapia clínica es practicada en los hospitales por enfermeras y parteras educadas en selectos aceites esenciales basados en evidencia clínica y métodos para resultados terapéuticos medibles.

Dada su gran popularidad, la "industria" de la aromaterapia actualmente vale cientos de millones de dólares, debido al aumento de los costos de atención médica, la comercialización hábil y sólida de las grandes compañías de aromaterapia, el deseo de controlar uno mismo la atención médica personal y familiar y la creencia generalizada de que "natural = seguro "Con riesgos mínimos percibidos.

Las mujeres embarazadas a menudo desconfían de las compañías farmacéuticas y temen que los medicamentos recetados y de venta libre les causen daño a ellas mismas y a sus fetos en desarrollo. Estudios de encuestas recientes destacaron una amplia gama, del 15 al 89%, de las mujeres embarazadas que admitidas acceder a terapias complementarias para el autocuidado, siendo la aromaterapia una de las más populares. Un hallazgo adicional es que las mujeres rara vez informaron a sus profesionales de la salud, temiendo el juicio y la falta de conocimiento profesional de la aromaterapia (Khadivzadeh y Ghabel 2012; Pallivalapila et al.2015; Sibbritt et al.2014).

Como enfermera o partera, el período durante el embarazo y el parto es un momento perfecto para educar a las mujeres sobre los beneficios y riesgos de la aromaterapia y las terapias complementarias junto con la educación sobre el parto, disipando los mitos de "natural = seguro" y desarrollando la confianza para el diálogo abierto y la educación. Con una audiencia cautiva durante estos nueve meses, quienes cuidan a las mujeres entran en un espacio sagrado con sus pacientes para promover el autocuidado físico y emocional mientras se embarcan en el viaje desconocido del embarazo hasta la maternidad temprana. Esto le brinda a la enfermera o partera la oportunidad de evaluar el historial de salud mental y los riesgos de depresión posparto. Las mujeres que apoyan a las mujeres son en sí mismas una herramienta increíble para el bienestar femenino.

El embarazo es un momento de agitación hormonal significativa, que a menudo conduce a múltiples molestias físicas y emocionales. Muchos medicamentos recetados y de venta libre están prohibidos durante el embarazo debido a los riesgos de seguridad. A principios de 1960s, la tragedia de la talidomida ocurrió cuando a confiadas mujeres embarazadas se les recetó un medicamento "seguro" para el insomnio, el estrés y las náuseas. Finalmente, se descubrió que la talidomida es responsable de las malformaciones generalizadas de las extremidades de los bebés, lo que llevó a prohibir la medicación; Las futuras pruebas de productos farmacéuticos en mujeres embarazadas cesaron durante los siguientes 60 años (Vargesson 2015). En otra historia farmacéutica trágica, se prescribió dietilestilbestrol (DES) para mujeres embarazadas con náuseas y provocó un aumento significativo de la incidencia de cáncer de cuello uterino en sus hijas. El miedo a los productos farmacéuticos durante el embarazo ha aumentado la popularidad del autocuidado con remedios a base de plantas (hierbas, aceites esenciales, esencias florales y suplementos nutricionales) y varias terapias complementarias, con la creencia generalizada de que "natural = seguro". Con preocupaciones sobre los componentes del aceite esencial que atraviesa la placenta y los efectos sobre el desarrollo del feto, la precaución y el seguimiento de la base de evidencia existente es la ruta recomendada para la práctica. Debido a su inmadurez, los sistemas inmunes y de desintoxicación en desarrollo del feto no son tan efectivos como los de los adultos y no son selectivos con respecto a la toxicidad. Por lo tanto, se debe suponer que todos los aceites esenciales atraviesan la placenta. El aceite esencial utilizado, su dilución y el método de aplicación deben evaluarse con respecto al riesgo y al beneficio potencial. Se debe consultar la base de evidencia clínica para apoyar el mejor interés de la mujer y el feto, así como la responsabilidad del profesional.

Esta creencia de "natural = seguro" es a menudo la razón fundamental para explorar la aromaterapia durante el embarazo y aumenta la oportunidad para que las enfermeras eduquen a las mujeres sobre los efectos tanto en la madre como en el feto en desarrollo. La importancia del diálogo abierto y las preguntas de evaluación estratégica contribuye en gran medida a obtener prácticas vitales de autocuidado y al desarrollo de herramientas educativas de enfermería. Las consultas sobre el uso de suplementos nutricionales y herbales encajan bien junto a aceites esenciales específicos o mezclas, así como los métodos de uso antes y durante el embarazo.

La mayoría de las mujeres y las que venden aceites desconocen que los aceites esenciales atraviesan la placenta y pueden afectar negativamente el crecimiento y desarrollo fetal. Los riesgos aumentan según el método de uso. La base de evidencia clínica se refiere exclusivamente al uso externo (inhalación, baños de pies o masaje de la piel), ya que no existe absolutamente ninguna evidencia clínica de uso interno con mujeres embarazadas en ninguna base de datos. Según Tiran, "los aceites esenciales no deben administrarse por vía oral, vaginal o rectal durante el embarazo, ya que los niveles que alcancen al feto serán excesivamente altos" (2016, p.105). Con respecto al desarrollo del cerebro fetal y la médula espinal, Tiran comparte que "la barrera hematoencefálica no está bien desarrollada en el feto, lo que permite que sustancias como los aceites esenciales lleguen al sistema nervioso central, que es susceptible al daño químico" (2016, p.106). El uso externo al 1-2%, como se destaca en cada uno de los estudios, es efectivo para mejorar las molestias del embarazo con un riesgo mínimo para la madre o el bebé. Cuando se usan externamente al 1-2%, son una terapia complementaria muy económica para uso clínico.

Durante el embarazo, con innumerable cambios hormonales, el sentido del olfato de una mujer a menudo se altera, lo que hace que las preferencias y fortalezas de olor anteriores sean nocivas o abrumadoras y los olores inesperados curiosamente atractivos. Ofrecer opciones de aceites esenciales de la lista a bajas diluciones de 0.5-1% es increíblemente efectivo, agradable y extremadamente seguro.

Actualmente hay cinco estudios clínicos de aromaterapia con mujeres embarazadas. A excepción de la lavanda, todos los aceites son de origen cítrico o vegetal; Los aceites son limón, lavanda, petitgrain, bergamota y neroli. De estos, el aceite esencial de limón es el único aceite esencial que tiene evidencia clínica para respaldar su uso en el primer trimestre, y el neroli es el único aceite esencial que tiene evidencia clínica para usarse con mujeres hospitalizadas de alto riesgo. Los aceites cítricos generalmente se consideran los aceites más seguros y, en mi experiencia clínica, son bien recibidos, estimulantes y efectivos durante el embarazo.

Embarazo / lista Prenatal de Aceites esenciales clínicamente basados en evidencia

- Bergamota (Citrus bergamia)
- Lavanda (Lavandula angustifolia)
- Limón (Citrus limonum)
- Neroli (Citrus aurantium var. Amara)
- Petitgrain (Citrus aurantium)

Aceites esenciales para el embarazo.

Si bien las preocupaciones con respecto a los efectos adversos de los medicamentos recetados y de venta libre llevan a las mujeres hacia medicamentos y alternativas a base de hierbas, solo cinco aceites esenciales con una dilución de 1-2% en métodos externos seleccionados se han estudiado en entornos clínicos en mujeres embarazadas y se ha demostrado que son seguros y efectivos.

En el primer trimestre, a menudo en un momento de fatiga extrema y náuseas, solo un aceite esencial, el limón, es clínicamente basado en la evidencia (Yavari et al. 2014). En el segundo trimestre, otros tres estudios han examinado la efectividad de los aceites esenciales de lavanda, bergamota y petitgrain (Chen et al.2017; Effati-Darvani et al.2015; Igrarashi 2013). Además, neroli se estudió en el tercer trimestre con mujeres embarazadas de alto riesgo (Go and Park 2017). Estos estudios se centraron en el bienestar emocional, la ansiedad, el estrés, la depresión y el apoyo inmunológico. No se puede subestimar la importancia de la reducción del estrés materno en el embarazo para el crecimiento y desarrollo del feto, así como el bienestar materno.

Bergamota

Un aroma cítrico distintivo utilizado para dar sabor al té Earl Grey

Propiedades terapéuticas: Relajante y estimulante. Aceite popular utilizado para la ansiedad, la depresión y el estrés.

Método de aplicación: inhalación.

Investigación: en el ensayo controlado aleatorio de Igarashi (2013), las mujeres embarazadas pudieron seleccionar su aceite esencial preferido de un grupo de aceites ricos en linalol y acetato de linalilo (bergamota, petitgrain y lavanda). La inhalación durante cinco minutos con un difusor mejoró las escalas de humor de tensión / ansiedad y enojo / hostilidad, y la actividad parasimpática aumentó con la relajación observada. Se necesita más estudios para ver si estos resultados se repiten.

* Igarashi, T. (2013) "Efectos físicos y psicológicos de la inhalación de aromaterapia en mujeres embarazadas: un ensayo controlado aleatorio". Journal of Alternative and Complementary Medicine 19, 10, 805–810.

Lavanda

Un aceite muy popular con aroma herbáceo y floral y una amplia gama de propiedades.

Propiedades terapéuticas: Calmante y relajante, frecuentemente utilizado para el estrés, la ansiedad, la depresión y el sueño.

Método de aplicación: inhalación, baño de pies, masaje de pies.

Investigación: Hay tres estudios clínicos que examinan el uso de lavanda en el embarazo. Los estudios indicaron que las escalas de estrés, ansiedad y depresión mejoraron con el uso de aceite esencial de lavanda; la actividad parasimpática también aumentó, observando la relajación observada con lavanda mediante inhalación, baño de pies o masaje de pies con una dilución de 1 a 2%. El ensayo controlado aleatorio (ECA) de Chen et al. (2017) mostró una disminución del cortisol salival y mejores niveles de la función inmune de la IgA (inmunoglobulina A) en el grupo que recibió 70 minutos de masaje de aromaterapia con aceite esencial de lavanda, dilución al 2% durante las semanas 16– 36.

* Chen P et al (2017) "Efectos del masaje de aromaterapia sobre el estrés y la función inmune de las mujeres embarazadas: un ensayo controlado aleatorio, prospectivo, longitudinal". Journal of Alternative and Complementary Medicine 23, 10, 778–786.

* Effati-Daryani F et al (2015) "Efecto de la crema de lavanda con o sin baño de pies sobre la ansiedad, el estrés y depresión en el embarazo: un ensayo aleatorio controlado con placebo. "Iranian Red Crescent Medical Journal 4, 1, 63–73.

* Igarashi T et al (2013) "Efectos físicos y psicológicos de la inhalación de aromaterapia en mujeres embarazadas: un ensayo controlado aleatorio". Journal of Alternative and Complementary Medicine 19, 10, 805–810.

Limón

Es el único aceite esencial clínicamente basado en evidencia en el primer trimestre, el limón tiene un aroma cítrico fresco, fresco y familiar.

Propiedades terapéuticas: edificante emocionalmente para síntomas de depresión, útil para las náuseas y los vómitos, soporte vasoconstrictivo con hemorragias nasales y venas varicosas.

Método de aplicación: inhalación, difusor de ambiente o spray aromatico..

Investigación: Yavari et al. (2014) estudiaron la efectividad de la inhalación de aceite esencial de limón para las náuseas. El ensayo clínico aleatorio de 100 mujeres en el primer trimestre concluyó que el aroma a limón podría ser efectivo para reducir las náuseas en el embarazo. Dos gotas de aceite esencial de limón diluido en aceite de almendras e inhalado de una almohadilla de algodón durante tres minutos, según sea necesario, brindaron un mayor alivio para las náuseas y los vómitos que sin aromaterapia.

* Yavari, K et al (2014) "El efecto de la aromaterapia por inhalación de limón para las náuseas y los vómitos del embarazo: un ensayo clínico controlado, aleatorio y doble ciego". Iranian Red Crescent Medical Journal 16

Neroli

Un aroma floral cítrico con ligeros toques herbáceos.

Propiedades terapéuticas: Calmante para el pánico y la ansiedad extrema.

Método de aplicación: inhalación.

Investigación: en el estudio de Go and Park (2017), mujeres embarazadas hospitalizadas de alto riesgo inhalaron neroli durante dos minutos tres veces al día durante cinco días consecutivos. Se observaron mejoras en los puntajes de depresión, estrés y ansiedad, así como también en el sistema nervioso autonomo los cambios fueron mayores en el tratamiento con neroli grupo que en el grupo de control.

* Ve, G.Y. y Park, H. (2017) "Efectos de la terapia de inhalación de aroma sobre el estrés, la ansiedad, la depresión y el sistema nervioso autónomo en mujeres embarazadas de alto riesgo". Korean Journal of Women Health Nursing 23, 1, 33-41.

Petitgrain

El aceite de Petitgrain, destilado de las hojas y las ramitas verdes del naranjo amargo, tiene un suave aroma cítrico floral suave con notas herbales y amaderadas. Es mucho menos costoso que el neroli con propiedades similares.

Propiedades terapéuticas: Calmante y relajante para la ansiedad y el estrés, que estimula contra la depresión.

Método de aplicación: inhalación.

Investigación: Vea los detalles del ensayo de Igarashi (2013) en "Bergamota" arriba.

* Igarashi T et al. (2013) "Efectos físicos y psicológicos de la inhalación de aromaterapia en mujeres embarazadas: un ensayo controlado aleatorio". Journal of Alternative and Complementary Medicine 19, 10, 805–810.

Consejos de aroma basados en evidencia clínica para el embarazo

Además de la evaluación tradicional de enfermería y las preguntas de historial médico, cuando se usa la aromaterapia, es útil hacer estas preguntas para determinar las preferencias, alergias o sensibilidades:

· ¿Es alérgica a plantas, alimentos, hierbas, especias o olores?

· ¿Cuáles son sus recuerdos aromáticos más positivos / aromas favoritos?

 ¿Cuáles son sus recuerdos aromáticos más negativos / aromas desagradables?

· ¿Qué tipo de remedios usa normalmente para dolores de cabeza, dolores de estómago, resfriados, estrés o dolor?

· Además de las vitaminas prenatales, ¿qué suplementos, hierbas, tés o aceites de aromaterapia encuentra útiles? En caso afirmativo, a las hierbas o aceites de aromaterapia: ¿cómo los usa?

Primer trimestre (*semanas 10-12*)

Náuseas / náuseas matutinas / apoyo emocional

Limón (*Citrus limon*), el único aceite esencial clínicamente estudiado en el primer trimestre, puede inhalarse, usando un difusor o usarse con una botella rociadora ambiental a una dilución de 1–2%.

Diluya 1 gota de aceite esencial de limón en 5 ml / 1 cucharadita de agua, aceite de jojoba o de semilla de uva e inhale durante cinco minutos según sea necesario para las náuseas y el apoyo emocional.

Segundo trimestre *(semanas 13-24)*

Ansiedad / depresión / estrés / dolor

Lavanda (Lavandula angustifolia) se ha estudiado más que cualquier otro aceite esencial y tiende a ser la más popular entre las mujeres. Al 1-2% se puede inhalar en un almohadilla de algodón o usando un difusor o spray aromatico para el apoyo emocional y el alivio del dolor.

Limón (Citrus limon), inhalado en una almohadilla de algodón o con un difusor o spritzer, es estimulante, antiséptico, descongestionante y alegre.

Tercer trimestre *(25 semanas)*

Dolor / depresión / ansiedad / miedo

Bergamota (Citrus bergamia), un aroma cítrico muy querido y un aceite conocido para el apoyo emocional, se puede inhalar, difundir o usar en un spray aromatico para la ansiedad, la depresión, el estrés y el miedo.

Lavanda (Lavandula angustifolia) diluida al 1% en loción sin perfume aplicada en el área de incomodidad a menudo proporciona alivio del dolor, relajación y descanso muy necesario.

Limón (Citrus limon), inhalado en una almohadilla de algodón, con un difusor o spray aromatico, es estimulante, antiséptico y descongestionante. También puede diluirse al 1% en gel de aloe, loción o aceite de semilla de uva y aplicarse sobre la piel para calmar las venas varicosas o aplicarse sobre los dedos para aplicar presión sobre la nariz y detener las hemorragias nasales.

Neroli (Citrus aurantium) es un maravilloso y popular aceite antipánico y anti-ansiedad. Diluya 0.5–1% para inhalación periódica por mujeres con alta ansiedad y estrés.

Petitgrain (Citrus aurantium), derivado de las ramitas y las hojas de naranjo amargo, proporciona un equilibrio emocional al 1% de inhalación, o se usa en un difusor o rociador de ambientes.

Tabla de referencia rápida de aromaterapia: embarazo / prenatal

Condición	Aceites esenciales (Mezclas de 1-3)	Métodos
Ansiedad	Lavanda, petitgrain, bergamota, neroli	Inhalación en algodón almohadilla, difusión, baño de pies, masaje 1% después de 16 semanas
Depresión	Lavanda, petitgrain, bergamota, limón, neroli	Inhalación en almohadilla de algodón, difusor o spray aromatico 1% después de 16 semanas
Miedo	Lavanda, neroli, petitgrain, bergomota	Inhalación en almohadilla de algodón o difusor 1%
Hiperemesis	Limón	Inhalación en almohadilla de algodón o difusor 1%
Náuseas matutinas	Limón	Inhalación en almohadilla de algodón o difusor 1%
Dolor	Lavanda, bergamota	Baño de pies, masaje y, inhalación en almohadilla de algodón 1%
Insomnio	Lavanda, neroli	Inhalación en almohadilla de algodón, difusor, baño de pies, masaje 1%, rociar las sábanas

Estrés	Lavanda, bergamota, petitgrain, limón, neroli	Inhalación en almohadilla de algodón, difusor, baño de pies, masaje 1%, rociador de ambientes

Capítulo 4

Aromaterapia para trabajo de parto y parto

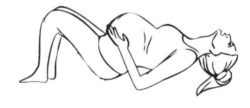

En este capítulo exploraremos la base de evidencia clínica para el uso de la aromaterapia durante el trabajo de parto y el parto: la etapa intraparto. La mayor cantidad de evidencia clínica para la aromaterapia obstétrica (OB) existe durante el período intraparto una vez que una mujer está establecida en el parto. En 1990, en un gran hospital de referencia en Oxford, Inglaterra, con un promedio de 6000 nacimientos por año, un equipo de parteras instituyó un estudio de aromaterapia de ocho años con 8058 mujeres en trabajo de parto y parto (Burns et al. 2000). Con el conocimiento y la experiencia de un aromaterapeuta, seleccionaron diez aceites esenciales con propiedades terapéuticas para la ansiedad, las náuseas, el dolor y el potencial para aumentar las contracciones en el parto disfuncional. Su lista de diez aceites esenciales de estudios clínicos, que todavía se usan en el trabajo de parto y el parto hoy, eran lavanda, mandarina, limón, incienso, manzanilla romana, eucalipto, menta, salvia sclarea, rosa y jazmín. Durante los últimos 30 años, las enfermeras y parteras en los Estados Unidos, el Reino Unido y Chile han seguido la base de evidencia clínica de estos diez aceites y métodos sin un solo incidente grave para la madre o el bebé. Solo el 1% de las mujeres experimentaron efectos secundarios leves (dolor de cabeza, náuseas y erupción cutánea). La duración, el número de mujeres, la seguridad y la efectividad de los tratamientos de aromaterapia en el trabajo de parto y el parto hacen que este programa basado en evidencia clínica sea un estándar de atención médica para la práctica de enfermería y partería.

Este capítulo destacará estos diez aceites esenciales, sus diversos usos y los datos recopilados de las mujeres que reciben estos tratamientos de aromaterapia para enfermería y partería. Los aceites esenciales poseen múltiples componentes químicos y, por lo tanto, tienen muchas propiedades terapéuticas e indicaciones clínicas. La lavanda sola tiene propiedades antisépticas, analgésicas, sedantes y cicatrizantes y está clínicamente indicada para el dolor, la ansiedad, el sueño y la cicatrización de la piel. A medida que la aromaterapia clínica aumenta a nivel mundial, vemos viendo estudios de investigación adicionales fue se agregan a la base de evidencia clínica. Estudios recientes durante el trabajo de parto con aceites esenciales de bergamota, geranio, neroli y naranja dulce han aumentado nuestra lista a 14.

Varias Juntas de Enfermería de los Estado de EE. UU. requieren prueba de educación para las enfermeras que practican terapias complementarias como la aromaterapia, la terapia más popular entre las mujeres. La confianza pública es muy alta para las enfermeras en parte debido al requisito de licencia que demuestra que se ha obtenido la base de educación y conocimiento necesaria para practicar de manera segura y competente. La aromaterapia no es parte de la educación universitaria estándar de enfermería o partería y requiere que el individuo complete la educación por su cuenta. Desafortunadamente, los cursos no siempre están disponibles o no están financiados institucionalmente. Con 30 años de práctica segura y efectiva de aromaterapia clínica de enfermería y partería para mujeres y bebés, esto plantea la pregunta: ¿por qué las enfermeras practican fuera de la base de evidencia? Sin embargo, debido a la exposición generalizada fuera del ámbito de la atención médica, la disponibilidad de cursos clínicos, el costo de la educación y la creencia de que debido a que es natural es seguro, o "nuestros aceites son puros", por lo que ninguno de los conocimientos previos se aplica, esto es exactamente lo que esta emergiendo. Se espera, por lo tanto, que siguiendo la información proporcionada aqui y la facilidad su uso se inspirará a las enfermeras y parteras en entornos clínicos a seguir con los aceites esenciales y los métodos basados en evidencia para la etapa del trabajo de parto y parto, ignorar afirmaciones descabelladas y, cuando sea posible, asistir a cursos clínicos de aromaterapia.

La mayoría de los medicamentos recetados y los medicamentos de venta libre se consideran fuera de los límites para las mujeres embarazadas, lo que deja pocas opciones para la enfermedad o las molestias del embarazo. El miedo y la desconfianza de la industria farmacéutica ha llevado a las mujeres a elegir alternativas de remedios para sus molestias, a menudo fuera del ámbito de la atención médica tradicional. Una reciente y preocupante tendencia estadounidense de reclamos exagerados de productos de aceites esenciales, realizada por representantes de ventas sin prueba de evidencia clínica, ha llevado a problemas de seguridad para mujeres embarazadas y bebés. La capacitación en ventas de productos en lugar de la educación profesional ha llevado a un gran aumento en los informes de incidentes que van desde la hipersensibilidad a los aceites esenciales y las quemaduras de la piel hasta la hiperestimulación uterina y la dificultad respiratoria en los bebés. Las mujeres en trabajo de parto que llegan al hospital con bolsas de aceites mezclados son muy comunes. A menudo, la creencia en "lo natural es seguro", junto con la confianza significativa en un amigo, familia o clero con un sistema de creencias arraigado y una promesa de ganancias financieras significativas, es un desafío para los profesionales de la salud. También puede existir un conflicto significativo para la enfermera o partera sin educación en aromaterapia basada en evidencia para proporcionar un consejo sabio sobre el uso apropiado y las preocupaciones de seguridad: "una tormenta perfecta".

Como estas tendencias continúan causando preocupación, recomiendo una posible solución para proteger a nuestros pacientes. Como lo hemos hecho en enfermería durante décadas para evitar el mal uso o la sobremedicación accidental, envíe aceites de aromaterapia personales a su casa o enciérrelos con objetos de valor para su custodia. Esto brinda una oportunidad de educación sobre la política de aromaterapia basada en evidencia, las opciones, la educación del personal y el estándar de práctica para su máxima seguridad. Todavía pueden recibir aromaterapia y guardar sus aceites para uso futuro. Al seguir las listas basadas en evidencia clínica en este libro, la enfermera o partera está equipada con listas de métodos y aceites esenciales y referencias de apoyo para su práctica, así como herramientas educativas para el paciente. Se puede hacer una comparación entre la lista de aceites con evidencia clínica y los aceites que el paciente trae y así mejo- rar la comprensión mutua del uso clínico seguro y efectivo de los aceites esenciales. Compartir con su paciente la lista provista de aceites y métodos basados en evidencia clínica es un punto de partida educativo para usted y su paciente.

La mayoría de las mujeres temen el dolor del parto y experimentan un rango de ansiedad desde "mariposas en el estómago" hasta el pánico y la histeria. En un estado de ansiedad, los músculos se contraen, la frecuencia cardíaca aumenta, la respiración es superficial, ya que todos nuestros sistemas experimentan una respuesta de "lucha o huida". Los estudios y la experiencia en enfermería han demostrado que la inhalación de aceites esenciales seleccionados disminuye rápidamente la experiencia desagradable de ansiedad y miedo al disminuir la liberación de hormonas del estrés. Una mujer relajada tiene una mayor probabilidad de experimentar una experiencia de parto más corta y más cómoda. Con la simple inhalación de aceites esenciales relajantes, la respiración se ralentiza, los músculos se relajan, los signos vitales mejoran y las mujeres informan de una disminución de los sentimientos de ansiedad y miedo, lo que permite que se desarrolle el proceso natural del parto.

El Momento del trabajo de parto es un momento ideal para introducir la aromaterapia al sentar experimentalmente las bases para medidas de confort físico y emocional en la maternidad temprana. Casi 12,000 mujeres adicionales durante el parto han recibido tratamientos de aromaterapia en los Estados Unidos, el Reino Unido y Chile, guiados por la base de evidencia clínica de los estudios de Burns et al. (2000, 2007), con cerca de 9,000 mujeres sin un solo problema grave para la madre o el bebé durante un período de 30 años. Seguir la base de evidencia clínica proporciona una base sólida, segura y efectiva para la enfermera, la partera y la doula al lado de la cama. El estudio de ocho años de 8058 mujeres en Oxford (Burns et al. 2000) que recibieron tratamientos de aromaterapia clínica de partería durante el parto demostró la integración exitosa de una terapia complementaria para la ansiedad, el dolor, las náuseas y las mejores contracciones que hemos copiado en los hospitales en el Estados Unidos y Chile desde 2008. El estudio destacó la efectividad y la seguridad del uso controlado de diez aceites esenciales seleccionados en métodos específicos, para lograr resultados terapéuticos medibles, como disminuir el uso de opioides (petidina) en el grupo de aromaterapia para la duración del estudio del 6% al 0.2%. Un estudio adicional de ECA realizado por el mismo investigador (Burns et al. 2007) con más de 500 mujeres en Italia, utilizando seis de los diez aceites iniciales, reforzó la efectividad y seguridad de estos aceites y métodos, con menos bebés (0 vs. 6) de las madres del grupo de aromaterapia que de las madres del grupo control que necesitan ser transferidas a la unidad de cuidados intensivos neonatales (UCIN). Es posible que relajar a la madre con aromaterapia durante el trabajo de parto y el parto disminuya el estrés en el feto, lo que lleva a un menor ingreso de UCIN.

Desde 2008, estos estudios de aceites esenciales y métodos seleccionados han sido la base de los cursos de enfermería y obstetricia clínica para la salud de mis mujeres y los programas hospitalarios en los Estados Unidos y Chile.

Los datos recientes de nuestro programa de enfermería de más de 550 mujeres durante el parto destacan los aceites esenciales más eficaces y el porcentaje de mejora con tratamientos simples de aromaterapia para el dolor, la ansiedad, las náuseas y las contracciones. En todos nuestros programas clínicos, utilizamos una escala Likert de 0-10 (0 = sin dolor; 10 = peor dolor), como es habitual en enfermería para medir los niveles de dolor de los pacientes. Se le pide al paciente que califique su condición particular (es decir, ansiedad, dolor, náuseas, dolor y contracciones) antes (pre) del tratamiento de aromaterapia y luego que califique nuevamente 10-30 minutos (después) del tratamiento de aromaterapia. Los siguientes gráficos comparten los datos previos y posteriores de los cuatro aceites esenciales más efectivos para la ansiedad, el dolor y las contracciones con mujeres durante el parto, así como el porcentaje de mejora general para facilitar la interpretación.

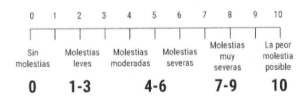

Escala Likert

Datos de aromaterapia para ansiedad, dolor y náuseas de 550 mujeres durante el parto

Ansiedad *durante el parto*

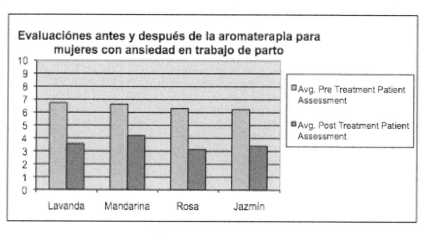

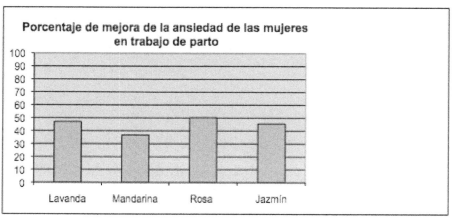

Dolor durante el parto

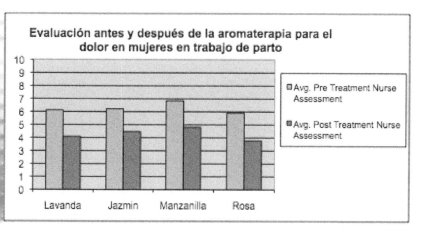

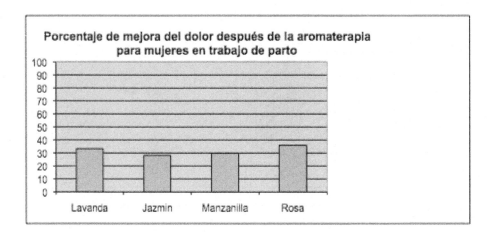

Porcentaje de mejora del dolor después de la aromaterapia para mujeres en trabajo de parto

Náuseas durante el parto

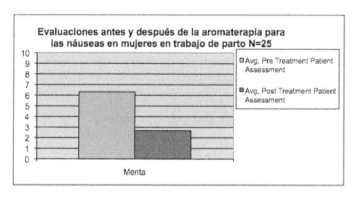

Evaluaciones antes y después de la aromaterapia para las náuseas en mujeres en trabajo de parto N=25

☐ Avg. Pre Treatment Patient Assessment

☐ Avg. Post Treatment Patient Assessment

Menta

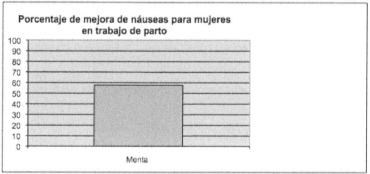

Porcentaje de mejora de náuseas para mujeres en trabajo de parto

Menta

Es importante resaltar el hecho de que la aromaterapia no es para todos. Siempre respete la elección personal y el sistema de creencias de una mujer, y tenga en cuenta las condiciones que prohíben el uso seguro de la aromaterapia (es decir, beneficio versus riesgo).

Hay un camino intermedio entre "todo o nada" para evitar decepcionar a una mujer decidida a tener una experiencia de parto aromática, como un spray de habitación en lugar de una aplicación directa, o un masaje con una loción portador sin perfume para proporcionar comodidad y cuidado sin riesgos. A menudo, debido a un escenario clínico cambiante durante el parto, es mejor dejar la aromaterapia para el período posparto menos agudo. En nuestra experiencia, las mujeres aprecian saber que la oportunidad no se pierde por completo y que la aromaterapia aún estará disponible para ellas.

Precauciones específicas de aromaterapia OB además a las pautas normales de seguridad de aromaterapia

• Evite los aceites esenciales en el primer trimestre (solo inhalación de limón, después de diez semanas).

• Siga solo la base de evidencia clínica actual para una práctica segura.

• Solo uso externo.

• Siempre diluya 0.5-1% hasta el término, 2% durante el parto / posparto.

• Para trabajo de parto prematuro, solo spray en la habitación (limón 0.5-1%).

• Evite el uso de salvia sclarea con infusión de oxitocina (inducción) ya que puede potenciar incómodamente las contracciones.

• Evite la salvia clara con VBAC (parto vaginal después de una cesárea) o cualquier cicatriz uterina previa debido al riesgo de ruptura uterina.

• Use la lavanda y la manzanilla romana con precaución con el asma y las alergias estacionales.

• Evite el uso de salvia sclarea o lavanda (aceites hipotensivos sedantes) con epidural hasta que la presión arterial se normalice después de la epidural.

• Evite la rosa otto con aumento de sangrado o hemorragia.

• Use el incienso con precaución cuando haya antecedentes de psicosis o trastorno del pensamiento.

• Evite la aromaterapia con epilepsia, embarazos de alto riesgo, enfermedades cardíacas, hepáticas o renales importantes, preeclampsia, eclampsia, pirexia, terapia anticoagulante, polihidramnios, placenta previa, movimientos fetales reducidos, embarazos múltiples más altos (Tiran 2016).

• Tenga mucho cuidado con embarazos gemelares, nalgas, posición fetal transversal o inestable, antecedentes de hemorragia vaginal, diabetes, asma, alergias, hipertensión, hipotensión, trastornos hemorrágicos, antecedentes de aborto espontáneo, hemorragia, alergias estacionales o múltiples a plantas, alimentos o aromáticos. .

• Suspender la aromaterapia en una emergencia médica o cambio rápido en el estado materno o fetal.

Pautas específicas

• Los aceites esenciales siempre deben usarse en la dosis correcta.
• Las enfermeras y las parteras que están embarazadas no deben usar aceites esenciales.
• Complete una hoja de evaluación / lista de verificación antes de usar aceites esenciales. Consulte los criterios de selección, contraindicaciones y métodos de uso.
• Documentar la evaluación del tratamiento pre y post aromaterapia.
• Las enfermeras y las parteras que practican la aromaterapia clínicamente deberían haber completado con éxito una educación basada en evidencia clínica sobre los aceites esenciales OB / GYN.
• No use aceites esenciales en bebés menores de tres meses de edad.

 *Evite la menta y el eucalipto cerca o en contacto con bebés y niños menores de tres años debido al riesgo de dificultad respiratoria grave.

Lista de aceites esenciales basados en evidencia clínicamente durante el trabajo de parto y el parto

- Bergamota (Citrus bergamia)
- Salvia Clara (Salvia sclarea)
- Eucalipto (Eucalyptus globulus)
- Incienso (Boswellia carterii)
- Geranio (Pelargonium graveolens)
- Jazmín (Jasminum grandiflorum o Jasminum sambac)
- Lavanda (Lavandula angustifolia)
- Limón (Citrus limonum)
- Mandarina (Citrus reticulata)
- Neroli (Citrus aurantium var. Amara)
- Menta (Mentha piperita)
- Manzanilla romana (Anthemis nobilis)
- Rosa (rosa damascena)
- Naranja dulce (Citrus sinensis)

Aceites esenciales para y durante el parto (intraparto)

Bergamota (Citrus bergamia)
Un aroma cítrico distintivo utilizado para dar sabor al té Earl Grey.

Propiedades terapéuticas: la bergamota es un aceite popular utilizado para la ansiedad, la depresión y el estrés. Es un aceite ligero, fresco y estimulante para el invierno, la ansiedad y la depresión.

Método de aplicación: masaje, inhalación.

Investigación: en el estudio de Dhany et al. (2012) de 2158 mujeres, la bergamota y el incienso fueron los aceites más populares (1350 mujeres) de los siete analizados, siendo la inhalación y el masaje los métodos más comunes para usarlos. Los resultados fueron que las tasas de anestesia general, espinal y epidural fueron significativamente menores en el grupo de aromaterapia que en el grupo de control.

* Dhany AL, Mitchell T y Foy C. (2012) "Impacto del servicio intraparto de aromaterapia y masajes en el uso de analgesia y anestesia en mujeres en trabajo de parto: un análisis retrospectivo de notas de casos". Journal of Alternative and Complementary Medicine

Salvia clara (Salvia sclarea)
Fuerte aroma herbáceo, almizclado, a salvia.

Propiedades terapéuticas: Salvia sclarea es un aceite extremadamente relajante, eufórico, antiespasmódico y analgésico, por lo que es ideal durante el parto. Se ha demostrado en estudios y en nuestros datos que mejora las contracciones uterinas mientras alivia el dolor uterino.

*Seguridad:
Evite su uso con VBAC o con cualquier cicatriz uterina previa para disminuir el riesgo de ruptura uterina.

Si es posible, intente el masaje abdominal inferior una hora antes de la inducción de pitocina/oxytocin.

Evite el uso con infusión de pitocina/oxytocin, ya que la salvia sclarea puede potenciar incómodamente las contracciones que causan hiperestimulación.

Debido a sus propiedades hipotensivas, permita que la presión arterial se normalice después de la epidural durante 30 a 60 minutos antes de usarla o repetirla. Evite su uso si el paciente es hipotensor.

Identificado como fitoestrogénico, por lo tanto contraindicado durante el embarazo y para personas con antecedentes de cánceres del sistema reproductivo.

Método de aplicación: masaje, inhalación.

Investigación: Burns et al. (2000) indicaron que se usó salvia sclarea en un 87% para aumentar las contracciones; el 70% durante el parto disfuncional no requirió infusión de oxitocina y el 92% tuvo partos vaginales estándares (SVD). Al comienzo del estudio de ocho años, el 13% de las mujeres que usaban aromaterapia también usaban opioides (petidina / Demerol) para controlar el dolor. Al final del estudio, el uso de opioides en el grupo de aromaterapia fue de 0.2%. A la luz de la actual epidemia de opioides, la aromaterapia ofrece opciones seguras, efectivas y no adictivas para el control del dolor. En general, hubo menos mujeres que usaban aromaterapia requirieron inducción y progresaron a SVD que en los grupos de control. Burns y col. (2007) indicaron que el 11% de las mujeres usaban salvia sclarea, con menos ingresos generales de UCIN en el grupo de aromaterapia (0) en comparación con el grupo control (6). En el estudio de Lee y Hur (2011), Salvia sclarea se combinó en una mezcla de masaje utilizada por parejas / cónyuges con lavanda, incienso y neroli; El dolor de parto y la ansiedad se redujeron significativamente. Dhany y col. (2012) demostraron tasas significativamente más bajas de uso de anestésicos espinales y generales en general con el grupo de aromaterapia; El 10% de las mujeres fueron tratadas con salvia sclarea.

* Burns E et al (2007) "Aromaterapia en el parto: un ensayo piloto aleatorizado y controlado". BJOG 114, 7, 838-844.

* Burns E. et al (2000) "Una investigación sobre el uso de la aromaterapia en la práctica de partería intraparto". Journal of Alternative and Complementary Medicine 6, 2, 141-147.

* Dhany A, Mitchell T y Foy C. (2012) "Impacto del servicio intraparto de aromaterapia y masajes en el uso de analgesia y anestesia en mujeres en trabajo de parto: un análisis retrospectivo de notas de casos". Journal of Alternative and Complementary Medicine 18, 10, 932- 938.

* Lee M y Hur M (2011) "Efectos del masaje de aromaterapia del cónyuge sobre el dolor laboral, la ansiedad y la satisfacción del parto para las mujeres que trabajan. Korean Journal of Women's Health Nursing 195-204.

Eucalipto (Eucalyptus globulus)

Propiedades terapéuticas: una ayuda para la congestión y las infecciones de las vías respiratorias superiores. Las inhalaciones en la almohadilla de algodón para aliviar la congestión a menudo son apreciadas. Es un reparador de sala estimulante durante los meses de invierno y trabajos largos.

*Seguridad: evite el uso con anestesia general, ya que se ha observado que puede mejorar la eliminación de barbitúricos (1,8 cineol).
Evite alrededor de los bebés, como con la menta, para disminuir el riesgo de dificultad respiratoria.

Método de aplicación: inhalación.

Investigación: clasificada por las mujeres durante el parto como el mejor aceite para mejorar el bienestar y como descongestionante para las infecciones de las vías respiratorias superiores.

* Burns E et al. (2000) "Una investigación sobre el uso de la aromaterapia en la práctica de partería intraparto". Journal of Alternative and Complementary Medicine 141–147.

Incienso (Boswellia carterii)

Aroma dulce y resinoso. Disminuye y calma la ansiedad, el pánico y la rápida respiración de ansiedad y dolor. Alivia las infecciones respiratorias y la irritación bronquial. Mejora la práctica espiritual y meditativa.

Propiedades terapéuticas: el incienso es extremadamente calmante para la ansiedad, el pánico y la histeria durante el parto. Es de apoyo como dolor y ayuda espiritual en la muerte fetal y las complejas emociones que surgen de la adopción, la pérdida y la culpa. Una o dos gotas inhaladas en una almohadilla de algodón pueden usarse para el pánico y la histeria. Mezclar con limón y / o rosa para el dolor y el apoyo espiritual.

Método de aplicación: inhalación, masaje.

Investigación: En los estudios, el incienso se usó por inhalación para la ansiedad y el miedo y en masajes para el dolor. En el estudio de Burns et al. (2000) se clasificó entre los 2-3 primeros de los aceites esenciales más útiles para el dolor y la ansiedad. En nuestros programas clínicos, el incienso es excepcional para el pánico y la ansiedad de tipo histeria, así como para el apoyo al duelo. En el estudio de Lee y Hur (2011), en el que el incienso se combinó en una mezcla de masaje que los compañeros / cónyuges utilizaron en el masaje con lavanda, salvia sclarea y neroli, el dolor y la ansiedad durante el parto se redujeron significativamente.

* Burns E et al (2007) "Aromaterapia en el parto: un ensayo controlado aleatorio piloto". BJOG 838–844.

* Burns E et al (2000) "Una investigación sobre el uso de la aromaterapia en la práctica de partería intraparto". Journal of Alternative and Complementary Medicine 141-147.

* Dhany A, Mitchell T y Foy C. (2012) "Impacto del servicio intraparto de aromaterapia y masajes en el uso de analgesia y anestesia en mujeres en trabajo de parto: un análisis retrospectivo de notas de casos". Journal of Alternative and Complementary Medicine 932–938.

* Lee, M.K. y Hur, M.H. (2011) "Efectos del masaje de aromaterapia del cónyuge sobre el dolor de parto, la ansiedad y la satisfacción del parto para las mujeres que trabajan". Korean Journal of Women's Health Nursing 195–204.

Geranio (Pelargonium graveolens)
El geranio es un aceite fuerte, floral, cálido, estimulante y equilibrante.

Propiedades terapéuticas: el geranio es maravilloso para el edema y la retención de líquidos al estimular el sistema linfático. Su fuerte aroma floral se suaviza mejor con limón para las mujeres más jóvenes. Los sprays aromaticos con limón y geranio refrescan, elevan y estimulan la habitación y el estado de ánimo. Para las extremidades inferiores edematosas, mezcle una loción con mandarina para un suave masaje ascendente de tobillo y pantorrilla. Su potente aroma tenderá a anular otros aceites; use pequeñas cantidades en las mezclas.

Método de aplicación: inhalación, masaje, difusión.

Investigación: Rashidi-Fakari et al. (2015) indicaron una disminución significativa en la ansiedad autoinformada con el Inventario de ansiedad por rasgos estatales (STAI), una herramienta estandarizada para medir la ansiedad antes y después de los tratamientos, y notaron una reducción de la presión diastólica en la sangre con inhalación durante la primera etapa del parto. En Tansvisuit et al. (2017), la difusión redujo el dolor en el parto activo latente y temprano.

* Rashidi-Fakari F et al (2015) "Efecto de la inhalación del aroma de la esencia de geranio sobre la ansiedad y los parámetros fisiológicos durante la primera etapa del parto en mujeres nulíparas: un ensayo clínico aleatorizado". Journal of Caring Sciences 4, 2, 135–141.

* Tanvisut R, Kuntharee T. y Theera T. (2017) "Eficacia de la aromaterapia para reducir el dolor durante el trabajo de parto: un ensayo controlado aleatorio". Archives of Gynecology and Obstetrics 297, 5, 1145-1150.

Jazmín (Jasminum grandiflorum o Jasminium sambac)
Aroma floral exótico.

Propiedades terapéuticas: proporciona fuerza y fortaleza a la mujer durante el parto al tiempo que mejora las contracciones y el proceso del parto. Antidepresivo y útil para la ansiedad severa; produce un sentimiento de fuerza interior y tiene un efecto energizante en las emociones. Construye confianza.
Como anécdota, en múltiples casos clínicos, el jazmín diluido al 2% en un masaje abdominal bajo mejoró el parto placentario difícil en la tercera etapa. Sus propiedades antidepresivas brindan apoyo emocional y confianza con la depresión posparto. Un aceite esencial excepcionalmente útil física y emocionalmente.

Método de aplicación: masaje, inhalación, difusión.

Investigación: en Tanvisut et al. (2017), las mujeres durante el parto seleccionaron el jazmín por difusión de 2 a 5 veces más a menudo para el dolor que las otras opciones de aceites esenciales, y las puntuaciones generales de dolor durante el parto activo latente y temprano fueron significativamente más bajas que en el grupo control. En Dhany et al. (2012), el 15% de las mujeres eligieron jazmín, y notaron un uso general mucho menor de anestésicos; Como un analgésico masajeado en la parte inferior del abdomen, las puntuaciones de dolor en general fueron más bajas en el parto activo latente y temprano, pero no en el parto activo tardío.

* Burns E et al (2000) "Una investigación sobre el uso de la aromaterapia en la práctica de partería intraparto". Journal of Alternative and Complementary Medicine 141-147.

* Dhany A Mitchell T y Foy C (2012) "Impacto del servicio intraparto de aromaterapia y masajes en el uso de analgesia y anestesia en mujeres en trabajo de parto: un análisis retrospectivo de notas de casos". Journal of Alternative and Complementary Medicine 932–938.

* Tanvisut R, Kuntharee T y Theera T (2017) "Eficacia de la aromaterapia para reducir el dolor durante el trabajo de parto: un ensayo controlado aleatorio". Archives of Gynecology and Obstetrics 1145–1150.

Lavanda (Lavandula augustifolia)

La lavanda es el más utilizado y estudiado de todos los aceites esenciales. Su amplia gama de propiedades terapéuticas, disponibilidad inmediata y bajo costo lo hacen muy útil para todos los programas clínicos y especialmente durante el parto. Si su programa clínico solo puede admitir una pequeña gama de
aceites esenciales, incluya siempre la lavanda. Tenga en cuenta que, debido a su gran popularidad, muchas mujeres eligen automáticamente la lavanda sobre todas las demás cuando se les ofrece una lista de aceites esenciales. Suele ser un buen ajuste; sin embargo, debido a alergias estacionales o asma, a veces puede ser preferible otra opción.

Propiedades terapéuticas: las propiedades terapéuticas de la lavanda van desde sedantes hasta analgésicos, lo que lo convierte en un aceite maravilloso para calmar la ansiedad, aliviar el dolor y dolores de cabeza durante el parto y proporcionar períodos de descanso durante el parto. En el parto temprano, inhalar una gota en una almohadilla de algodón calma a la madre y a la persona de apoyo, y mejora un ambiente relajado y terapéutico.

Puede acelerar el parto relajando a la madre.

La lavanda es un aceite muy diverso para las condiciones físicas y emocionales, por lo que es muy recomendable como componente de cualquier programa clínico. Mezcle lavanda y rosas para un masaje de parto, así como apoyo emocional para la ansiedad y la depresión.

Método de aplicación: inhalación, masaje.

Investigación: En los siguientes estudios, los métodos de uso para la lavanda (Lavandula angustifolia) fueron la inhalación y el masaje (aplicación de la piel). En el gran estudio de ocho años de Burns et al. (2000) de 8058 mujeres en el Reino Unido, la lavanda se usó más que cualquier otro aceite para la ansiedad y el dolor, y ambas afecciones mostraron una mejora superior al 50%, lo que contribuyó a un menor uso de alivio del dolor epidural y disminución significativa del uso de analgésicos opioides (petidina / Demerol) en el grupo de aromaterapia del 13% al comienzo del estudio al 0.2% siete años después. En el ensayo aleatorizado y controlado de Burns et al. (2007) de 531 mujeres en Italia, la lavanda fue el aceite más utilizado (38%), y el dolor fue el síntoma más común tratado, seguido de ansiedad; El estudio observó la disminución de la percepción del dolor con los tratados por ansiedad. Significativos para este estudio fueron los números de transferencias de UCIN: ninguno en el grupo de aromaterapia y seis en el grupo de control. En el estudio de Abbaspoor y Mohammadkani (2013) de 60 mujeres, hubo hallazgos interesantes de una disminución significativa de la intensidad del dolor y una menor duración de la primera y segunda etapa del parto en el grupo de lavanda en comparación con el grupo control. La lavanda fue vista por parteras y mujeres que recibieron tratamientos como una opción viable no farmacológica, simple, económica y efectiva para el dolor, el miedo y la ansiedad, con notables efectos durante el parto acortado y resultados neonatales positivos. Los resultados indican que la lavanda fue muy efectiva en diversos grados para el dolor, el miedo y la ansiedad durante el parto y fue a menudo la opción más popular para estudios clínicos y elección del paciente.

Todos los estudios fueron de un solo aceite, excepto Lee y Hur (2011), que utilizaron una mezcla de masaje con lavanda, salvia sclarea, incienso y neroli aplicados por la pareja biológica durante diez minutos cada hora desde la dilatación de 5 cm en adelante, lo que mejoró significativamente el dolor de parto y ansiedad

* Abbaspoor Z y Mohammadkhani S (2013) "Masajes de aromaterapia de lavanda para reducir el dolor y la duración del trabajo de parto: un ensayo aleatorio controlado". African Journal of Pharmacy and Pharmacology 426–430.

* Burns E et al (2007) "Aromaterapia en el parto: un ensayo controlado aleatorio piloto". BJOG 838–844.

* Burns E (2000) "Una investigación sobre el uso de la aromaterapia en la práctica de partería intraparto". Journal of Alternative and Complementary Medicine 141-147.

* Dhany A, Mitchell T y Foy C (2012) "Impacto del servicio intraparto de aromaterapia y masajes en el uso de analgesia y anestesia en mujeres en trabajo de parto: un análisis retrospectivo de notas de casos". Journal of Alternative and Complementary Medicine 932–938.

* Lee M y Hur M (2011) "Efectos del masaje de aromaterapia del cónyuge sobre el dolor de parto, la ansiedad y la satisfacción del parto para las mujeres que trabajan". Korean Journal of Women Health Nursing 195–204.

* Tanvisut R., Kuntharee T y Theera T. (2017) "Eficacia de la aromaterapia para reducir el dolor durante el trabajo de parto: un ensayo controlado aleatorio". Archives of Gynecology and Obstetrics 1145–1150.

* Yazdkhasti, M. y Pirak, A. (2016) "El efecto de la aromaterapia con esencia de lavanda en la severidad del trabajo de parto dolor y duración del trabajo de parto en mujeres primíparas ". Terapias complementarias en la práctica clínica 81–86.

Limón (Citrus limon)

Cítricos refrescantes, familiares y estimulantes. A menudo se usa para mejorar el efecto de otros aceites. Una gota de limón agregada a lavanda, rosa, incienso o jazmín eleva el aroma general, suavizándolos y mejorando su atractivo.

Propiedades terapéuticas: la inhalación alivia las náuseas leves, los resfriados y las infecciones de las vías respiratorias superiores, y un spray aromatico es físicamente refrescante y emocionalmente estimulante durante el parto prolongado. Las propiedades vasoconstrictoras del limón funcionan bien aplicadas tópicamente en un 2% para una hemorragia nasal o para aliviar la pesadez de las venas varicosas.

Método de aplicación: inhalación.

Investigación: En el estudio prenatal de Yavari et al. (2014), se descubrió que Lemon es útil para las náuseas por inhalación. Burns et al (2000) encontraron que es edificante y que mejora la sensación de bienestar general. En nuestros programas, es útil como una opción adicional para las náuseas, para elevar y refrescar el parto prolongado, y en las mezclas de duelo.

* Burns E et al (2000) "Una investigación sobre el uso de la aromaterapia en la práctica de partería intraparto". Journal of Alternative and Complementary Medicine 141-147.

Mandarina (Citrus reticulata)
Alegre y estimulante, la mandarina es conocida como el aceite esencial más suave y seguro, por lo que es perfecto durante el parto.

Propiedades terapéuticas: a las mujeres les resulta (solo o con limón) que estimula y calma suavemente la agitación, la inquietud, la tensión nerviosa y el insomnio. Como un masaje abdominal, la mandarina alivia las molestias digestivas, la hinchazón y la flatulencia, y el suave masaje ascendente de la parte inferior de la pierna y el tobillo (solo o con geranio) alivia las piernas y los tobillos edematosos. A menudo se usa para mejorar el efecto de otros aceites.

Método de aplicación: inhalación.

Investigación: En el estudio de Burns et al. (2007) realizado en Italia, la mandarina fue el segundo aceite más común (después de la lavanda) de cinco aceites seleccionados por mujeres principalmente para la ansiedad y el miedo. En este estudio, hubo menos ingresos en la UCIN con el grupo de aromaterapia (0 frente a 6 en el grupo de control) y la duración del parto se acortó. Las madres lo calificaron como calmante y estimulante para el bienestar general. Curiosamente, en el estudio de Burns et al. (2000) realizado en el Reino Unido con diez aceites esenciales, no fue uno de los mejores aceites seleccionados, posiblemente debido a preferencias culturales.

* Burns E et al (2007) "Aromaterapia en el parto: un ensayo piloto aleatorizado y controlado". BJOG 114, 7, 838-844.

* Burns E et al (2000) "Una investigación sobre el uso de la aromaterapia en la práctica de partería intraparto". Journal of Alternative and Complementary Medicine 141-147.

Neroli (Citrus aurantium)
Un aroma edificante dulce, cítrico y floral, útil para aumentar la ansiedad, el pánico y el miedo.

Propiedades terapéuticas: Neroli puede inhalarse solo o usarse con naranja dulce, mandarina y / o limón en un spray de habitación para refrescarse y elevarse.

Método de aplicación: inhalación, spray aromatico.

Investigación: en Namazi et al. (2014), las puntuaciones de ansiedad disminuyeron significativamente más en las dilataciones de 3-4 cm y 6-8 cm en el grupo de neroli en comparación con el grupo de control, con neroli diluido en una gasa adherida a las batas de las mujeres y cambiado cada 30 minutos a lo largo de la progresión del trabajo de parto. En el estudio de Lee y Hur (2011), un masaje conyugal con una mezcla de neroli, lavanda, incienso y salvia redujo significativamente las puntuaciones de dolor y ansiedad en el parto.

* Lee M y Hur M (2011) "Efectos del masaje de aromaterapia del cónyuge en el dolor de parto, la ansiedad y la satisfacción del parto para las mujeres que trabajan". Korean Journal of Women's Health Nursing 195-204.
* Namazi, M et al (2014) "Aromaterapia con aceite de cítricos aurantium y ansiedad durante la primera etapa del parto" Iranian Red Crescent Medical Journal

Menta (Mentha piperita)
Familiar, energizante, fresco y refrescante durante el parto prolongado.

Propiedades terapéuticas: excelente aceite esencial para aliviar las náuseas durante la transición, después de la operación y con dolores de cabeza por migraña. Las propiedades analgésicas de la hierbabuena alivian el dolor de cabeza y el dolor de espalda.

** **Seguridad**: manténgase siempre alejado de bebés y niños menores de tres años debido a problemas respiratorios con exposición a menta en este grupo de edad. Para problemas de sensibilidad de la piel, es mejor diluir en loción al 1% (1 gota / 5 ml de loción) antes de aplicar sobre la piel.

Método de aplicación: inhalación.

Investigación: En el estudio de Burns et al. (2000), el 96% de las 1149 mujeres eligieron la inhalación de menta para las náuseas y los vómitos, con una mejoría del 50%. La menta fue la mejor valorada en general por los pacientes con náuseas y vómitos.

* Burns E (2000) "Una investigación sobre el uso de la aromaterapia en la práctica de partería intraparto". Journal of Alternative and Complementary Medicine 141-147.

* Dhany A, Mitchell T y Foy C (2012) "Impacto del servicio intraparto de aromaterapia y masajes en el uso de analgesia y anestesia en mujeres en trabajo de parto: un análisis retrospectivo de notas de casos". Journal of Alternative and Complementary Medicine 932-938.

Manzanilla romana (Anthemis nobilis)
Aroma herbáceo. Calmante para la ansiedad y el insomnio. Las propiedades terapéuticas antiespasmódicas, analgésicas y antiinflamatorias alivian los calambres musculares, menstruales y digestivos.

Propiedades terapéuticas: el aceite esencial más antiespasmódico, la manzanilla romana proporciona un maravilloso apoyo para los calambres musculares y abdominales y el dolor durante el parto. Es antiinflamatorio y es bueno para las erupciones cutáneas, el eccema y la picazón. También es calmante y de apoyo para los períodos de descanso y sueño. Mezcla con salvia sclarea y lavanda para el dolor durante el parto.

*Seguridad: se debe tener precaución con las alergias estacionales, la fiebre del heno y el asma debido a su relación con la ambrosía.

Método de aplicación: masaje.

Investigación: El hallazgo principal en los dos estudios de Burns et al. (2000, 2007) sugiere que dos aceites esenciales, salvia sclarea y manzanilla romana, fueron efectivos para aliviar el dolor; El uso de opioides disminuyó significativamente en el grupo de aromaterapia desde el principio hasta el final del estudio de ocho años (Burns et al. 2000). En la práctica privada del autor y en los programas clínicos, los tratamientos de aromaterapia múltiple que usan manzanilla romana sola o en mezclas de dolor para los calambres musculares, durante el parto y menstruales han sido muy efectivos.

* Burns E et al (2007) "Aromaterapia en el parto: un ensayo controlado aleatorio piloto". BJOG 838-844.

* Burns E et al (2000) "Una investigación sobre el uso de la aromaterapia en la práctica de partería intraparto". Journal of Alternative and Complementary Medicine 141-147.

Rosa (Rosa damascena)

Conocida como la "reina de las flores", este delicado y femenino aceite es muy popular y efectivo durante el parto y posparto. Muy caro y muy poco necesario, así que úselo con moderación.

Propiedades terapéuticas: alivia el estrés y la ansiedad al tiempo que mejora el proceso natural del parto. El lujoso aroma floral apoya a las mujeres en riesgo o con antecedentes de depresión posparto y brinda apoyo para el duelo. Es lujoso mezclado con lavanda para inhalación o masaje para apoyo emocional. Se cree que ayuda a tonificar el útero.

** **Seguridad:** Evite con sangrado excesivo o hemorragia.

Método de aplicación: inhalación, baño de pies, masaje.

Investigación: Rose otto fue calificada en Burns et al. (2000) como el aceite más efectivo para calmar la ansiedad de las madres durante el parto. Kheirkhah y col. (2014), utilizando la inhalación y el baño de pies, notaron una reducción significativa en la ansiedad en la primera etapa del parto en comparación con el grupo control.

* Burns E et al (2000) "Una investigación sobre el uso de la aromaterapia en la práctica de partería intraparto". Journal of Alternative and Complementary Medicine 141-147.

* Dhany A, Mitchell T y Foy C (2012) "Impacto del servicio intraparto de aromaterapia y masaje en el uso de analgesia y anestesia en mujeres en trabajo de parto: un análisis retrospectivo de notas de casos ". Journal of Alternative and Complementary Medicine 932–938.

* Kheirkhah M et al (2014) "Comparando los efectos de la aromaterapia con aceites de rosas otto y baños de pies calientes sobre la ansiedad en la primera etapa del parto en mujeres nulíparas".

Naranja dulce (Citrus sinensis)
Aroma dulce el lo más familiar de los cítricos.

Propiedades terapéuticas: alegre y estimulante para la depresión y la ansiedad en el difusor de la habitación o la inhalación de almohadilla de algodón. Se ha demostrado que la naranja dulce disminuye la ansiedad autoinformada durante el parto sin que se observen cambios significativos en los parámetros fisiológicos (presión arterial, pulso y respiración).

Método de aplicación: inhalación, difusor.

Investigación: el estudio de Rashidi-Fakari et al. (2015) mostró una mayor reducción de la ansiedad entre el grupo de mujeres que habían estado expuestas al aceite esencial de naranja que el grupo de control.

* Rashidi-Fakari F, Tabatabaeichehr M. y Mortazavi, H. (2015) "El efecto de la aromaterapia con aceite esencial de naranja sobre la ansiedad durante el parto: un ensayo clínico aleatorizado". Iranian Journal of Nursing and Midwifery Research

Métodos de uso durante el parto (1-2% de mezclas)

Inhalación
1-2 gotas de aceite esencial sin diluir en una almohadilla de algodón para náuseas breves, pánico y congestión intensa; puede pegarse a una bata por 10 minutos y repetir cada 2 horas. Con el estrés continuo, la tristeza, la depresión o las náuseas

se diluyen al 2% en una almohadilla de algodón e inhalan directamente según sea necesario. No use este método para los asmáticos.

Aplicación de masaje / piel
Lo mejor para el dolor, cualquier molestia física, apoyo durante el parto.
Agregue dos gotas de aceite esencial o mezcle
a 5 ml de loción sin perfume o aceite vegetal portador como semillas de uva o jojoba
. Se puede usar un máximo de tres aceites en una mezcla (por ejemplo, agregue 1 gota de cada uno de 3 aceites esenciales diferentes a 15 ml de aceite portador de semilla de uva o jojoba).

Baño de pies
Lo mejor para el parto temprano, el calor, la higiene y el apoyo emocional.
Llene el baño de pies con agua tibia, mezcle 4-6 gotas de aceite esencial en aceite portador (para una mejor dispersión en agua) y luego agréguelo a
bañera. Remoje los pies por un mínimo de 10 a 15 minutos.

Difusor personal
Mejora indirecta del entorno sutil.
Agregue 1-2 gotas de aceite esencial o mezcle al filtro de un difusor de ventilador de aire frío. Use solo por 10 minutos en cada media hora.

Spray Aromático

Lo mejor para un entorno estimulante, disminuyendo el estrés y el control de infecciones.

Agregue 4–6 gotas de aceites esenciales a la botella rociadora de vidrio vacía, luego llene hasta el cuello con agua estéril o destilada. Agite bien y rocíe la habitación cerca de la madre, evitando los ojos.

Consejos de aroma basados en evidencia clínica durante el parto

Llegada prematura del parto con ansiedad y miedo.
Haga que la mujer elija uno de una selección de cuatro aceites calmantes y edificantes familiares (por ejemplo, lavanda, limón, mandarina, naranja dulce). Ponga un par de gotas en una almohadilla de algodón para que inhale como bienvenida y para calmar su miedo y ansiedad.

Ansiedad creciente, progresión lenta del trabajo de parto.
Baño de pies con 4–6 gotas de rosa o/y aceite de lavanda. Esto proporciona dos beneficios de inhalar el aroma y la absorción de la piel, y también le enseña a su cuerpo las propiedades calmantes de los aceites para referencia posterior.

Epidural, miedo a las agujas.
Use 1–2 gotas de 2% de rosas para mezclar en una almohadilla de algodón, indicándole que respire lenta y profundamente para distraerla y calmarla mientras inserta la aguja.

Trabajo de parto progresivo, aumento de molestias
Jazmín o lavanda 2% en loción masajeada en la espalda baja y / o abdomen.

Trabajo de parto prolongado o mucha energía

Prepare un spray aromatico personal para la habitación con naranja dulce y limón al 2% y rocíe alrededor de la habitación para refrescar ligeramente la habitación y elevar la energía.

Náuseas e indigestión

Inhalaciones de 2% de menta, limón o mandarina, según preferencia personal. Si uno no funciona, intente con otro hasta que encuentre el mejor.

Hemorragia nasal

Aplique 2% de limón en el puente de la nariz y exprima durante diez minutos o hasta que se detenga el sangrado. Repita según sea necesario.

Dolor de cabeza

Lavanda 2% en loción, inhalada y masaje suavemente en las sienes, la frente, la parte posterior del cuello y el área de la articulación temperomandibular (ATM). Para la migraña con náuseas, inhale menta al 1% junto con un masaje de lavanda.

Edema de piernas y tobillos

Baño de pies con 2% de geranio y masaje ascendente desde el tobillo hasta la rodilla con geranio y mandarina 2% en loción según sea necesario para la tensión, molestias e hinchazón de la piel.

Descansa y duerme

Use lavanda y / o mandarina al 2% para masaje en los hombros, inhalación en almohadilla de algodón o spray.

Mejora las contracciones

Use salvia sclarea y / o rosa 2% en loción para masajear la parte inferior del abdomen y alrededor de las muñecas y los tobillos. Evite la salvia sclarea con pitocina, ya que puede potenciar las contracciones y aumentar las molestias. Evite la salvia sclarea con parto prematuro, VBAC o cualquier cicatriz uterina previa.

*Ejercicio de visualización: Ofrezca una almohadilla de algodón con 2 gotas de aceite de rosa y anime a la mujer a cerrar los ojos y visualizar un capullo de rosa que se abre lentamente para florecer por completo.

Dolor de espalda

Mezcle jazmín y lavanda o salvia sclarea y manzanilla romana al 2% en loción y masajear firmemente en la parte inferior de la espalda desde el cintura natural al sacro para aliviar las molestias. Aplique contrapresión firme al sacro durante la contracción. Además, los baños tibios son reconfortantes al inhalar el aceite a través de un algodón, un aerosol o un difusor; agregar aceite al agua corre el riesgo de contacto visual con el bebé y es mejor evitarlo.

Calambres en las piernas

Use manzanilla romana sola o con lavanda al 2% en loción para masajear la parte inferior de las piernas y cualquier área de calambres.

Agotamiento

Use geranio y limón en un difusor, un recipiente con agua tibia o un spray aromatico para refrescar la habitación y elevar a la mujer y a los seguidores.

Histeria, ansiedad extrema, pánico y / o gritos

Incienso al 2% en almohadilla de algodón, sujeto a la bata o al spray aromatico alrededor de la parte superior del cuerpo, evitando los ojos. Si es posible, aliente las respiraciones lentas y profundas.

Depresión

Si hay antecedentes o riesgo actual de depresión, elija aceites durante el parto que puedan extenderse hasta el posparto para apoyar la salud emocional. El jazmín, la rosa, la lavanda y la bergamota son buenas opciones para ofrecer y alternar en los días venideros. Observe su respuesta ante cualquier signo positivo, como una sonrisa o un recuerdo agradable para informar la elección.

Pena, tristeza, pérdida

El incienso y la rosa suavizados con limón o mandarina en un spray aromatico han sido muy útiles para la ansiedad, el estrés y el profundo dolor de una muerte fetal / "muerte fetal" rociar a su alrededor sola o con su pareja / cónyuge les proporciona un espacio sagrado, mientras que las propiedades terapéuticas de los aceites esenciales suavizan el dolor emocional, proporcionando a la madre la fuerza necesaria. Rociar la manta en la que los padres sostienen al bebé ha demostrado ser una herramienta extremadamente beneficiosa, disminuyendo su ansiedad y miedo.

La atención cuidadosa para apoyar a las mujeres física y emocionalmente con aromaterapia clínicamente basada en evidencia durante el parto allana el camino hacia una mayor comodidad y bienestar posparto. Además, estamos introduciendo herramientas y demostrando autocuidado para la maternidad temprana y más allá. Muchas mujeres han compartido conmigo lo poderoso que es cuando la enfermera o patrona les da permiso para continuar concentrándose en cuidar de sí mismas y de sus bebés. El papel de las enfermeras y parteras con la nueva madre es extremadamente influyente, y la aromaterapia clínica transmite el mensaje de que ella es importante y merece el cuidado personal.

Tabla de referencia rápida: *durante el parto*

Las opciones le recuerdan al profesional que existen múltiples aceites que son efectivos para cada afección. Déle al paciente una opción. Si no funciona, intente con otro hasta que tenga una respuesta positiva. Además, tenga en cuenta las preferencias culturales, ya que hemos descubierto que los aceites esenciales relacionados con recuerdos y experiencias positivas y reconfortantes pueden ser el más efectivos.

Condición	Aceites esenciales (mezclas de 1-3)	Métodos de uso
Ansiedad, estrés y tensión	Lavanda, rosa, incienso, mandarina, neroli, salvia sclarea, manzanilla romana, geranio, bergamota	Inhalación en una almohadilla de algodón, difusor, masaje de manos, antebrazos o hombros.

Dolor de espalda / trabajo de parto dolor de espalda	Salvia sclarea, lavanda, manzanilla romana, jazmín	Masajea la espalda baja con una mezcla de loción
Congestión	Eucalipto, menta, limón, incienso	Inhalación en un algodón o inhalador
Depresión	Lavanda, rosa, jazmín, geranio, bergamota, mandarina, limón, naranja dulce	Inhalación en una almohadilla de algodón, spray aromatico y / o difusor.
Edema / retención de líquidos en la parte inferior de las piernas y los tobillos.	Geranio, mandarina	Masaje ascendente desde el tobillo hasta la rodilla con mezcla de loción
Pena por la pérdida/Dolor	Rosa, incienso, lavanda, mandarina	Spray aromatico, difusor, inhalación en una almohadilla de algodón
Hiperventilando, pánico	Incienso, lavanda, neroli, rosa	Inhalación en una almohadilla de algodón.
Insomnio	Lavanda, mandarina, manzanilla romana, neroli	Inhalación en una almohadilla de algodón, masaje de hombros, rociar en sábanas, difusor
Náuseas y vómitos	Menta, mandarina, limon	Inhalación en una almohadilla de algodón, difusor o inhalador personal.
Dolor (trabajo de parto)	Manzanilla romana, salvia sclarea, lavanda, jazmín, incienso	Inhalación en una almohadilla de algodón y masaje para bajar el abdomen y la espalda con una mezcla de loción
Actualizar y restaurar /	Limón, menta, geranio,	Inhalación en una

energizar/Edificante emocionalmente / bienestar	eucalipto, bergamota	almohadilla de algodón, difusor o spray aromatico.
Trabajo de parto disfuncional o estancado, contracciones	Salvia sclarea, rosa, lavanda	Masajear la parte inferior del abdomen y alrededor de los tobillos, inhalar con un algodón
Perineo hinchado y dolor	Lavanda	Baños de asiento con 2% diluido en aceite portador, luego agregue al baño

Capítulo 5

Aromaterapia posparto

El período posparto es un momento importante ya que la mujer se embarca en el viaje sagrado y abrumador de la maternidad. El enfoque cambia rápidamente de la mujer embarazada al bebé, lo que puede encontrarse con las emociones mixtas ocultas de la nueva madre, junto con las molestias físicas y la imagen corporal alterada. Al relajar suavemente a la nueva madre posparto, la aromaterapia abre caminos emocionales mientras le enseña el placer y la simplicidad del cuidado personal aromático. Física y emocionalmente, está en una montaña rusa desconocida con un cuerpo adolorido del cual ahora tambien fluye leche y sangre, un nuevo rol importante, hormonas cambiantes y muchos consejos. Su necesidad de cuidados de enfermería y partería es crítica en este momento y las recompensas son inmensas y serán recordadas por toda su vida. En múltiples estudios (Afshar et al.2015; Hadi y Hanid 2011; Kianpour et al.2016; Metawie et al.2013; Olapour et al. 2013), se ha demostrado que las inhalaciones simples de lavanda sola o con aceite de rosa (Conrad y Adams 2012) disminuyen la ansiedad, el estrés, el tristeza y la percepción del dolor, al tiempo que proporcionan a la nueva madre agotada un merecido descanso. A medida que los niveles hormonales cambian de 2 a 3 días después del parto, muchas mujeres tienen sus emociones a flor de piel, a menudo tristes y llorosas; los "tristeza después del nacimiento" son normales y duran menos de dos semanas. Especialmente importante durante este tiempo limitado con la nueva madre es evaluar el historial previo y los factores de riesgo de depresión posparto que pueden guiar la elección de aceites esenciales específicos. Wei y col. (2008) encontraron una tasa total de depresión posparto mayor y menor para todas las culturas en más del 25% o una de cada cuatro mujeres.

Muchas mujeres en la etapa posparto son jóvenes y sanas, sin afecciones médicas o medicamentos farmacéuticos de rutina, por lo que se escapan al radar de la posible detección de los profesionales de la salud para desarrollar afecciones emocionales ocultas. En una cultura con estigmas de salud mental, la falta de pruebas de detección de depresión de rutina refuerza la inclinación de una mujer a ocultar su verdadero estado emocional, por temor a que sea etiquetada como emocionalmente inestable. El diálogo y la evaluación continuos durante el embarazo con respecto a la salud emocional identificarían a las mujeres de alto riesgo y fomentarían un ambiente de comunicación para compartir sus sentimientos y preocupaciones. Como anécdota, en nuestro estudio de investigación de aromaterapia para la depresión posparto, al menos un tercio de las mujeres en el estudio habían experimentado un episodio de depresión puntual aislado en la adolescencia de 6 a 12 meses de duración y habían estado bien hasta diez años antes del embarazo o el período posparto (Conrad y Adams 2012). La detección definitivamente se recomienda para todas las mujeres durante el embarazo, con un seguimiento posparto para mejorar la atención y los servicios psicológicos.

El resultado demasiado común del estigma negativo que rodea a los problemas de salud mental y la preocupación con respecto a la seguridad de los medicamentos recetados durante la lactancia es que muchas mujeres sufren en silencio y se tratan a sí mismas con varios remedios. Los estudios indican que cerca del 50% de las mujeres con educación universitaria experimentan con alguna forma de medicina alternativa complementaria, con aromaterapia calificada como una de las más populares (Eisenberg et al. 1998).

Nuestros datos de enfermería y partería de más de 200 mujeres posparto indican que las inhalaciones y masajes de aromaterapia simples mejoran la ansiedad y la depresión hasta en un 63%. En nuestro estudio de investigación posparto sobre aromaterapia para la depresión y la ansiedad (Conrad y Adams 2012), se observó de forma anecdótica que un tercio del grupo con depresión posparto tenía antecedentes de depresión incluso diez años antes de este embarazo y una duración tan corta como seis meses. Identificar a la mujer en riesgo lo antes posible brinda la oportunidad de detección temprana, educación y herramientas como la aromaterapia para el autocuidado. La paciente puede completar cuestionarios simples y estandarizados, como la Escala de depresión posparto de Edimburgo (EPDS) y el Trastorno de ansiedad generalizada (GAD7) reconocidos a nivel mundial en diez minutos y revelar importantes factores de riesgo psicológico.

Se ha demostrado que la aromaterapia como terapia complementaria junto con el tratamiento médico ortodoxo mejora la depresión y la ansiedad más rápidamente y en mayor grado que el tratamiento médico solo (Conrad y Adams 2012). Nuestro estudio clínico de aromaterapia para la ansiedad y la depresión posparto consideró los resultados después de cuatro semanas de tratamientos de aromaterapia de diez minutos dos veces a la semana (inhalación o masaje de manos) con aceites esenciales de lavanda y rosa al 2%.

Los siguientes dos gráficos demuestran los resultados de los tratamientos de aromaterapia a las cuatro semanas para la depresión y la ansiedad después de un total de ocho tratamientos de diez minutos.

Mejoras en la depresión posparto (EPDS) con aromaterapia

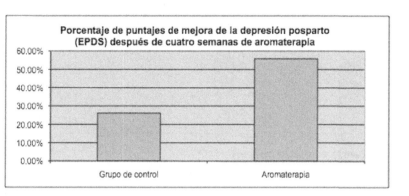

Mejoras con la ansiedad posparto (GAD7) con aromaterapia

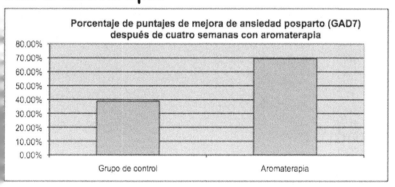

Además, los datos recientes de nuestro programa de hospital de enfermería y partería de más de 500 mujeres posparto destacan los aceites esenciales más efectivos y el porcentaje de mejora con tratamientos simples de aromaterapia para la ansiedad, el dolor, las náuseas y el duele/dolor.

Ansiedad posparto

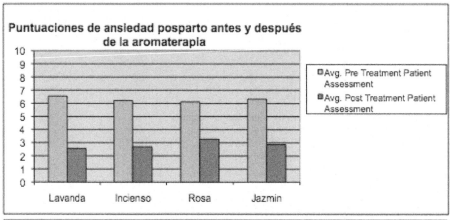

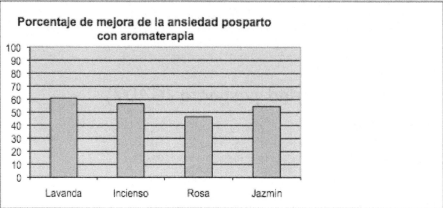

Náuseas posparto

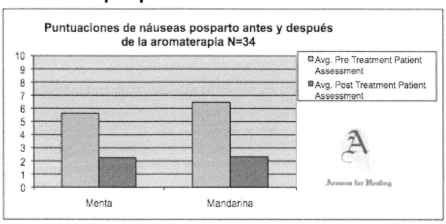

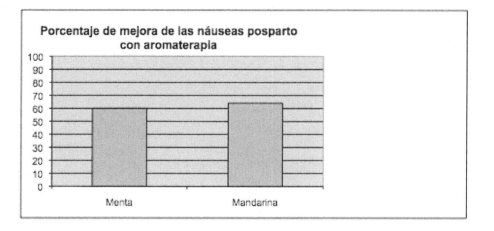

Dolor posparto

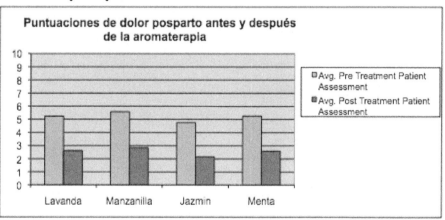

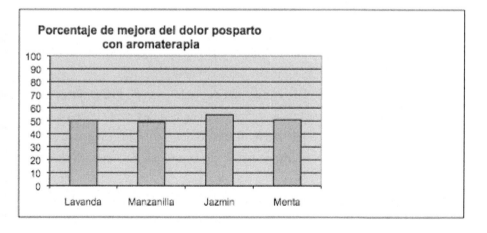

Duelo/Dolor Posparto

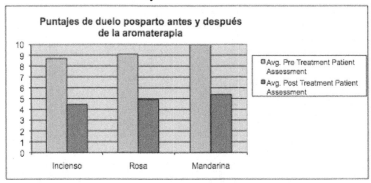

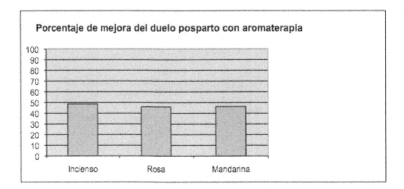

Base de evidencia de aceites esenciales posparto

La base evidencial para el período posparto consiste en aceites esenciales predominantemente para el apoyo de la comodidad física de la madre posparto, el bienestar emocional y la mejora de la lactancia. Las consideraciones y precauciones especiales tanto para la madre como para el bebé atraen especial atención a esta etapa. Las medidas de reducción del estrés como la aromaterapia mejoran la curación, mejorar la lactancia y alentar transiciones más suaves a la maternidad. Cuando sea posible, eduque a la nueva madre sobre los diversos aceites y métodos terapéuticos para ella mientras refuerza la exposición limitada del bebé.

La fuerza pura de los aceites esenciales puede dominar los delicados sistemas de desarrollo de los recién nacidos, por lo que se debe tener precaución con la exposición. Las recomendaciones son retrasar la exposición infantil hasta los 3 a 6 meses de edad y en ese punto solo según sea necesario para condiciones que no se alivian con medidas más suaves y menos concentradas. Siempre evite la exposición a la menta y a los aceites esenciales de mentol fuerte con los bebés debido a sus sistemas respiratorios inmaduros.

En varias ocasiones, las enfermeras parteras en mis cursos han compartido casos de dificultad respiratoria neonatal relacionada con el autotratamiento de las madres con aceites esenciales durante el parto. Estos misteriosos escenarios llevaron a las enfermeras parteras a continuar su propia educación en aromaterapia en el campo de la maternidad. Tras una investigación más exhaustiva por parte de las enfermeras parteras con las madres sobre qué aceites se usaron, descubrieron que el aceite en común en todos los casos de dificultad respiratoria neonatal había sido solo de menta o en mezclas. A medida que continúo compartiendo estos incidentes en clase, con frecuencia una enfermera o partera compartirá un caso similar en su práctica, siempre relacionado con el uso de menta por parte de la madre cerca del bebé, testimonios que anteriormente no se sentían cómodos de compartir debido a la negación de las madres. o personal ferviente en la creencia de que sus aceites esenciales son "puros" y, por lo tanto, no pueden causar daño.

Este tema se beneficiaría del diálogo y la educación profesional abierta y honesta, seguida de la inclusión en la educación del parto con futuros padres. En nuestras unidades de posparto hospitalarios, nuestra política y práctica de seguridad es evitar el uso de aceite de menta y eucalipto cerca de los bebés. Cuando una madre tiene náuseas o tiene dolor de cabeza de migraña y prefiere menta o eucalipto, se le indica que evite la aplicación tópica y que solo la use por inhalación directa en una almohadilla de algodón cuando el bebé no está en la habitación, retirando la almohadilla de la habitación y lavando sus manos antes de sostener a su bebé. El limón y la mandarina son alternativas efectivas para las náuseas y la lavanda para el dolor, por lo que ofrecer estas opciones puede eliminar cualquier riesgo, así como proporcionar educación para futuras opciones. Es inútil ser negativo sobre una marca particular de aceites esenciales; La educación en enfermería y partería se centra mejor en los aceites esenciales y los métodos que se han estudiado y de los cuales existen pruebas de su eficacia y seguridad en el ámbito clínico.

Lista posparto de aceites esenciales clínicamente basados en evidencia

- Hinojo (Foeniculum vulgare)
- Lavanda (Lavandula angustifolia)
- Neroli (Citrus aurantium var. Amara)
- Rose otto (Rosa damascena)
- Naranja dulce (Citrus sinensis)
- Ylang-ylang (Cananga odorata)
- Yuzu (Citrus junos)

Aceites esenciales para el cuidado posparto

Hinojo (Foeniculum vulgare)
Dulce, picante, aroma a anís.

Propiedades terapéuticas: Apoya la digestión, retención de líquidos, lactancia y expectorante. Propiedades fitoestrogénicas, tan contraindicadas durante el embarazo y con antecedentes de cáncer reproductivo.

Métodos de aplicación: masaje, inhalación, difusión.

Investigación: En Agustina et al. (2016), el hinojo (y el jazmín) en un difusor y un masaje de aromaterapia disminuyeron los niveles de cortisol y aumentaron significativamente la producción de leche materna. En Mikaningtyas et al. (2017), el masaje especial de lactancia con aceite esencial de hinojo aumentó los niveles de prolactina y la producción de leche materna. Conforme Mikaningtyas et al., "Durante el proceso de lactancia, hay dos hormonas que juegan un papel importante en el mantenimiento del proceso de lactancia, a saber, la hormona prolactina para aumentar la producción de leche materna y la hormona oxitocina que causan la secreción de la leche materna".

* Agustina, C., Hadi, H. y Widyawati, M.N. (2016) "Masaje de aromaterapia como alternativa para reducir el nivel de cortisol y mejorar la producción de leche materna en mujeres posparto primíparas en Semarang". Conferencia Internacional de la Asian Academic Society.

* Mikaningtyas, E. et al. (2017) "Masaje Lacta con aceite esencial de hinojo para aumentar los niveles de la hormona prolactina en madres posparto". International Journal of Science and Research.

Jazmín (Jasminum grandiflorum o Jasminium sambac)
Aroma floral exótico.

Propiedades terapéuticas: Reduce el estrés en la mujer posparto, útil para el blues y la depresión con un efecto energizante y fortalecedor sobre las emociones. Construye confianza.

Métodos de aplicación: masaje, inhalación, difusión.

Investigación: En Agustina et al. (2016), el jazmín (y el hinojo) en un difusor y masaje de aromaterapia disminuyeron los niveles de cortisol y aumentaron significativamente la producción de leche materna.

* Agustina, C., Hadi, H. y Widyawati, M.N. (2016) "Masaje de aromaterapia como alternativa para reducir el nivel de cortisol y mejorar la producción de leche materna en mujeres posparto primíparas en Semarang". Conferencia Internacional de la Asian Academic Society.

Lavanda (Lavandula angustifolia)
La lavanda tiene un aroma fresco, herbal y floral. Antiséptico, antibacteriano, sedante y analgésico; El aceite completo perfecto para el dolor, la ansiedad, el sueño y la curación.

Propiedades terapéuticas: en el cuidado posparto, una gota de lavanda en una almohadilla de algodón para inhalación o masaje de manos es un regalo para una nueva madre para disminuir el miedo, la ansiedad o la depresión a menudo asociada con su nuevo papel como madre, así como para proporcionar un sueño muy merecido.

Métodos de aplicación: inhalación, masaje, baño de asiento.

Investigación: Afshar et al. (2015) demostraron que las inhalaciones de lavanda al 10% (diez respiraciones profundas sobre bolas de algodón en un cilindro) cuatro veces por semana durante ocho semanas mostraron una mejora significativa en la calidad del sueño en comparación con el grupo de control. Vakilian y col. (2011) compararon los baños de asiento de lavanda usando 5-7 gotas dos veces al día durante diez días, mostrando significativamente menos enrojecimiento del perineo en el grupo de lavanda que el grupo de povidona yodada, con menos dolor después de diez días. Olapour y col. (2013) observaron un mejor control del dolor, disminución de la frecuencia cardíaca y una mayor satisfacción del paciente que el grupo control, con inhalaciones de cinco minutos de lavanda al 10% a las cuatro, ocho y 12 horas después de la cesárea postoperatoria, y recomendó la lavanda como multimodal (no única)) cesárea analgésica postoperatoria. Kianpour y col. (2016) señalaron que la utilización de inhalaciones de lavanda cada ocho horas durante cuatro semanas resultó en una mejora significativa, mayor que los grupos de control, con escalas de estrés, ansiedad y depresión en evaluaciones de dos semanas, uno y tres meses. La combinación de Conrad y Adams (2012) de inhalaciones de lavanda y rosa de otto al 2% o masajes de manos durante diez minutos dos veces por semana durante cuatro semanas mejoró significativamente los puntajes de ansiedad GAD7 y depresión EPDS a las dos semanas, con una mejoría mayor a las cuatro semanas. El hallazgo más interesante de Imura et al. (2006) indicó que un masaje de aromaterapia en el día uno o dos, además de mejorar el estado de ánimo, mejorar las interacciones madre-bebé y por lo tanto la vinculación. Agustie y col. (2017) recomiendan un masaje especial de oxitocina combinado con una cesárea post-lavanda para aumentar estadísticamente los niveles de prolactina y aumentar la producción de leche materna.

* Afshar M y al (2015) "Aceite esencial de fragancia de lavanda y la calidad del sueño en mujeres posparto". Diario 17

* Asazawa, A y al (2017) "El efecto del tratamiento de aromaterapia sobre la fatiga y la relajación de las madres durante el período puerperal temprano en Japón: un estudio piloto". International Journal of Community Basados en Enfermería y Partería 5, 4, 365–375.
* Agustie P et al (2017) "Efecto de la oxitocina que usa aceite esencial de lavanda sobre el nivel de prolactina y la producción de leche materna en madres primíparas después del parto por cesárea". Belitung Nursing Journal 3, 4, 337–344.

* Conrad, P. y Adams, C. (2012) "Los efectos de la aromaterapia clínica para la ansiedad y la depresión en la mujer posparto de alto riesgo: un estudio piloto". Terapias complementarias en la práctica clínica 18, 3, 164–168.

* Hadi, N. y Hanid, A.A. (2011) "Esencia de lavanda para el dolor post-cesárea". Pakistan Journal of Biological Sciences 14, 11, 664-667.

* Imura, M., Misao, H. y Ushijima, H. (2006) "Los efectos psicológicos del masaje con aromaterapia en madres sanas posparto". Journal of Midwifery and Women's Health 51, 2, e21-27.

* Kianpour M et al (2016) "Efecto de la inhalación de esencias de lavanda en la prevención del estrés, la ansiedad y la depresión en el período posparto". Iranian Journal of Nursing and Midwifery Research 21, 2, 197-201.

* Lee, S.O. y Hwang, J.H. (2011) "Efectos del método de inhalación de aroma en la calidad subjetiva del sueño, ansiedad y depresión del estado en las madres después del parto por cesárea". Revista de la Academia Coreana de Fundamentos de Enfermería 18, 1, 54.

* Metawie M et al(2013) "Efectividad de la aromaterapia con aceite de lavanda para aliviar el dolor después de una incisión cesárea". Journal of Surgery

* Olapour et al (2013) "El efecto de la inhalación de la mezcla de aromaterapia que contiene aceite esencial de lavanda en la cesárea postoperatoria dolor ". Anestesiología y medicina del dolor 3, 1, 203-207.

* Vakilian K et al (2011) "Ventajas curativas del aceite esencial de lavanda durante la recuperación de la episiotomía: un ensayo clínico". Terapias complementarias en la práctica clínica 17, 1, 50- 53)

* Vaziri, F et al (2017) "Efecto del aroma de aceite de lavanda en las primeras horas del posparto sobre dolores maternos, fatiga y estado de ánimo: un ensayo clínico aleatorizado". International Journal of Preventive Medicine, 8, 29.

Neroli (Citrus aurantium)
Edificante ligero aroma floral dulce.

Propiedades terapéuticas: Especialmente de apoyo como inhalación con ansiedad, miedo y pánico. Mejora la respiración lenta y la concentración si se hiperventila. Apreciado por las jóvenes ansiosas.

Método de aplicación: masaje.

Investigación: en el estudio de Imura et al. (2006), el neroli combinado con lavanda en el masaje de aromaterapia mejoró el estado físico y mental de las madres posparto y mejoró las calificaciones de las interacciones madre-bebé.

* Imura, M., Misao, H. y Ushijima, H. (2006) "Los efectos psicológicos del masaje con aromaterapia en madres sanas posparto". Journal of Midwifery and Women's Health 51, 2, e21-27.

Rosa (Rosa damascena)
Rose otto, conocida como la "reina de las flores", es dulce con un rico aroma floral. Calma la ansiedad, alivia el dolor y se equilibra con el sistema reproductivo.

Propiedades terapéuticas: Rose otto calma la ansiedad, alivia el dolor y tiene un efecto de equilibrio en el sistema hormonal, todo perfecto para la mujer posparto

Método de aplicación: inhalación, masaje.

Investigación: el estudio piloto de Conrad y Adams (2012) demostró que la inhalación en una almohadilla de algodón o el masaje de manos con otto de rosa y lavanda 2% diez minutos dos veces por semana durante cuatro semanas disminuyeron los puntajes de ansiedad (GAD7) y depresión (EPDS) más significativamente en comparación con el grupo control, medido nuevamente a las dos y cuatro semanas, con mejoras progresivamente mayores notadas. De especial interés con respecto a la metodología, las mejoras estadísticamente significativas para la escala de depresión EPDS fueron casi idénticas para los dos métodos, con inhalación 55.46% y masaje de manos 56.28% mejora (grupo control 26.12%).

* Conrad, P. y Adams, C. (2012) "Los efectos de la aromaterapia clínica para la ansiedad y la depresión en la mujer posparto de alto riesgo: un estudio piloto". Terapias complementarias en la práctica clínica 164-168.

Naranja dulce (Citrus sinensis)
Completo aroma cítrico dulce.

Propiedades terapéuticas: alegre, familiar y relajante, esta es una buena opción durante los meses de invierno y con individuos opuestos a los aromas florales y herbales.

Método de aplicación: masaje.

Investigación: en el estudio de Asazawa et al. (2017), cada mujer posparto recibió un masaje de manos y antebrazos de 20 minutos en los días 1-7 con uno de los cinco aceites esenciales diluidos. La fatiga autoinformada disminuyó y la puntuación de relajación mejoró significativamente con naranja dulce y yuzu.

* Asazawa A et al (2017) "El efecto del tratamiento de aromaterapia sobre la fatiga y la relajación de las madres durante el período puerperal temprano en Japón: un estudio piloto". Revista Internacional de Enfermería y Partería Comunitarias 365–375.

Ylang-ylang (Cananga odorata)
Exótico, potente, aroma floral dulce.

Propiedades terapéuticas: Apoyo demostrado con hipertensión y taquicardia por ansiedad y miedo. Maravillosa elección para problemas de irritabilidad y enojo. Se observa clínicamente que es mejor con 1-2% solo o mezclado; cualquier fuerte causa dolores de cabeza!

Método de aplicación: masaje

Investigación: en el estudio de Asazawa et al. (2017), cada mujer posparto recibió un masaje de manos y antebrazos de 20 minutos en los días 1–7 con uno de los cinco aceites esenciales diluidos. La fatiga autoinformada disminuyó y la puntuación de relajación mejoró significativamente con todos los aceites, y más significativamente con naranja dulce y yuzu.

* Asazawa A et al (2017) "El efecto del tratamiento de aromaterapia sobre la fatiga y la relajación de las madres durante el período puerperal temprano en Japón: un estudio piloto". International Journal of Community Basada en Enfermería y Partería 365–375.

Yuzu (Citrus junos)
Aroma cítrico fresco, suave y floral, similar al pomelo, lima y mandarina. Su exótico aroma cítrico ofrece una bienvenida opción no tradicional para el bienestar.

Propiedades terapéuticas: emocionalmente estimulante, útil para la ansiedad, la depresión y las condiciones nerviosas. A menudo se usa para la fragancia alegre de la habitación

Método de aplicación: masaje.

Investigación: en el estudio de Asazawa et al. (2017), cada mujer posparto recibió un masaje de manos y antebrazos de 20 minutos en los días 1-7 con uno de los cinco aceites esenciales diluidos. La fatiga autoinformada disminuyó y la puntuación de relajación mejoró significativamente con naranja dulce y yuzu.

* Asazawa A et al (2017) "El efecto del tratamiento de aromaterapia sobre la fatiga y la relajación de las madres durante el período puerperal temprano en Japón: un estudio piloto". Revista Internacional de Enfermería y Partería Comunitarias 365-375.

Aromatips clínicamente basado en evidencia consejos para el cuidado posparto

Celebrar la madre

Una lujosa mezcla de loción de 3 gotas de lavanda, 2 gotas de jazmín y una loción de rosa otto 1 gota en 10 ml de loción como masaje de manos o hombros es una forma maravillosa de felicitar a la nueva madre y celebrar el milagro que acaba de lograr. Además, las propiedades terapéuticas de los aceites esenciales son de apoyo emocional y de equilibrio a medida que sus niveles hormonales comienzan a cambiar.

Descansa y duerme

Botella rociadora de lavanda en almohada, inhalación en algodón o masaje de hombros con lavanda 2% en loción relaja el cuerpo y la mente para un descanso muy necesario.

La tristeza de posparto

Spritzer de habitación con naranja dulce 10 gotas, neroli 2 gotas y ylang-ylang 1 gota en 1 oz de agua estéril en una botella con atomizador de vidrio.

Dolor abdominal y calambres.

La lavanda 12 gotas diluidas en 1 oz de loción y masajeadas en la parte inferior del abdomen alivia las molestias y promueve el descanso.

Dolor quirúrgico posterior a la cesárea

La inhalación de lavanda en una almohadilla de algodón y una loción al 2% como la anterior, manteniéndose al menos a 2 pulgadas de la línea de sutura, es relajante, lo que disminuye la tensión muscular y las molestias postoperatorias.

Aumento de la producción de leche materna / lactancia

Inhalación en una almohadilla de algodón, difusor o masaje con jazmín, lavanda o hinojo diluidos al 2%.

Ansiedad y estres

Inhalación en una almohadilla de algodón con rosa, neroli, lavanda o ylang-ylang 2% solo o mezcla de dos.

Depresión

Inhalación en una almohadilla de algodón con otto de rosas al 2% y lavanda o jazmín o naranja dulce y neroli. Verifique su preferencia por los aromas florales o cítricos, ofreciéndole una opción y alternando durante su estadía para determinar la mejor combinación. En mi experiencia, la cultura influye en la preferencia del olor y, en última instancia, en la efectividad.

Presión sanguínea elevada/hipertension

Inhalación o masaje de manos con 2% de ylang-ylang y lavanda durante 10 minutos, controlando la presión arterial antes y después del tratamiento. Puede repetir una vez después de 30 minutos.

Perineo dolorido

Lavanda al 2% en aceite de semilla de uva agregada a baños de asiento tibios en remojo durante 15 minutos dos veces al día durante tres días después del parto vaginal para aliviar las molestias perineales y apoyar la cicatrización de la piel y los tejidos.

Dolor/Duelo

Rosa o incienso 1-2 gotas de inhalación en una almohadilla de algodón.

La enfermera y la partera posparto están en una posición oportuna para brindar atención de apoyo y herramientas de experiencia invaluables y educación para el autocuidado. El estímulo de las enfermeras y las parteras a las mujeres posparto, dándoles permiso para dedicar tiempo a cuidarse a sí mismas con aromaterapia, ejercicio, tiempo de tranquilidad y buena nutrición, contribuye en gran medida a reducir la culpa y el martirio en el futuro y resentimiento. Esta fue una retroalimentación constante recibida durante nuestro estudio posparto, ya que las mujeres debían recibir tratamientos no acompañadas, subliminalmente dándoles el mensaje de que el autocuidado era importante para ellas y su nuevo papel como madre.

Condición	Aceites esenciales (mezclas de 1-3 aceites esenciales)	Métodos
Ansiedad	Rosa, lavanda, neroli, ylang-ylang, naranja dulce, jazmín	Inhalación en una almohadilla de algodón
"La tristeza de posparto"	Rosa, jazmín, lavanda, naranja dulce, neroli	Inhalación en un algodón, masaje de hombros o manos, botella de spray

Depresión	Rosa, jazmín, lavanda, neroli, naranja dulce	Inhalación en una almohadilla de algodón o inhalador, botella de spray, difusor, masaje, baño
Edema de piernas, tobillos y pies	Geranio, hinojo	Masaje ascendente con loción
Fatiga, agotamiento	Naranja dulce, lavanda, jazmín	Inhalación en una almohadilla de algodón, difusor, spritzer, baño.
Duele/Dolor Muerte fetal	Rosa, lavanda, incienso	Botella de spray, inhalación en una almohadilla de algodón.
Insomnio	Lavanda, neroli	Inhalación en una almohadilla de algodón, spritzer en sábanas
Lactancia	Jazmín, hinojo, lavanda	Inhalación en un algodón, masaje, difusor.
Náusea	Lavanda, naranja dulce, mandarina, limón	Inhalación en una almohadilla de algodón.
Dolor	Lavanda, jazmín	Masajee el área de incomodidad, evite la línea de sutura
Estrés	Lavanda, rosa otto, neroli, ylang-ylang, hinojo, jazmín, geranio	Inhalación en un algodón, masaje de hombros o manos.

GINECOLOGÍA

Esta sección se centrará en las mujeres no embarazadas, desde la menarca hasta la menopausia. La lista de aceites esenciales clínicamente basados en evidencia que han demostrado ser seguros y efectivos para mujeres embarazadas y posparto se incluye en las opciones de aromaterapia en la atención ginecológica.

Los estudios estiman que globalmente entre el 80 y el 97% de las mujeres experimentan al menos un síntoma físico o psicológico relacionado con su ciclo menstrual en sus años reproductivos (Halbreich 2003; Ju et al. 2014; Milewicz y Jedrzejuk 2006; Wittchen et al. 2002). En 2002, los hallazgos preliminares del ensayo multicéntrico de la Iniciativa de Salud de la Mujer (WHI) indicaron aumentos significativos en los riesgos cardíacos, de accidente cerebrovascular y cáncer para las mujeres que toman terapia de reemplazo hormonal (TRH), lo que condujo a la interrupción prematura del estudio. Esto fue seguido por productos farmacéuticos populares para el dolor y la depresión que revelaban factores de riesgo graves previamente desconocidos, lo que llevó a la desconfianza general de los tratamientos médicos estándar para la salud física y emocional de las mujeres.

La falta de confianza en la comunidad médica y específicamente en la industria farmacéutica ha llevado a las mujeres a acceder a terapias complementarias, particularmente para afecciones hormonales y emocionales, sin compartir su uso con su profesional de la salud. El enfoque de asumir la responsabilidad exclusiva de la propia salud ha alterado la relación entre las mujeres y sus proveedores de atención médica tanto positiva como negativamente. Las enfermeras y las parteras se encuentran en perfectas posiciones de confianza y accesibilidad para educar y evaluar el uso de medicina complementaria y alternativa (CAM), especialmente a base de hierbas y nutrición suplementación y aceites esenciales, que tienen el potencial de interactuar con condiciones médicas y tratamientos farmacológicos.

Durante las evaluaciones de rutina, algunas o todas las siguientes las preguntas pueden proporcionar información sobre uso personal:

- ¿Utiliza algún remedio que le resulte útil?
- ¿Has probado masajes, aromaterapia, acupuntura, hierbas medicinales?
- ¿Qué te hace sentir mejor / te ayuda más?
- ¿Qué encuentra que le brinda el mejor alivio para los calambres menstruales, el síndrome premenstrual, los sofocos, el insomnio, etc.?

• Además de los medicamentos de venta libre o recetados, ¿qué hierbas, suplementos o aceites elige usar para sus molestias premenstruales, menstruales o menopáusicas?
• ¿Alguna vez has probado hierbas, suplementos o aceites esenciales?
• ¿Los tomas interna o externamente?
• ¿Cuánto y con qué frecuencia?
• ¿Qué aceites o hierbas hay en la mezcla?
• ¿Podríamos mirar juntos los ingredientes de la mezcla?

Abrir el diálogo con las mujeres establece su papel como educadora, cuidadora y defensora de pacientes de confianza. La confianza ha cambiado fuera del ámbito médico, y aunque la responsabilidad personal es importante, los laicos bien intencionados sin educación formal o calificaciones son a menudo los que informan a nuestros pacientes sobre la aromaterapia y la suplementación.

A medida que avanzamos hacia avances intrigantes en el campo de la psico-neuroendocrinología y la aromaterapia clínica, el potencial de aplicación en la salud de las mujeres está emergiendo, lo que también resalta la necesidad de continuar la investigación.

Están surgiendo desarrollos científicos interesantes en el campo de la aromaterapia clínica a través de la combinación de las respuestas subjetivas de los individuos y las mediciones de los niveles de estrés, hormonas y neurotransmisores antes y después del tratamiento. En múltiples estudios de aromaterapia, el estrés específico, la depresión y los niveles de hormonas reproductoras femeninas y neurotransmisores (cortisol, serotonina y estrógeno) mejoraron junto con la mejora autoinformada por las mujeres del síndrome premenstrual, las molestias menstruales y menopáusicas. Todos estos se lograron con tratamientos de inhalación o masaje con varios aceites esenciales únicos (rosa, lavanda, yuzu, bergamota, neroli). Cuando disminuye el nivel de cortisol de la "hormona del estrés", aumenta la serotonina del "neurotransmisor antidepresivo", se equilibran los niveles de estrógenos, mejoran los síntomas de depresión y se mejoran los sentimientos de bienestar. Estamos viendo todos estos cambios con simples tratamientos de aromaterapia. Los estudios han demostrado (Rapkin y Akopians 2012) que los niveles bajos de serotonina se correlacionan con un aumento en los síntomas del síndrome premenstrual. Con los tratamientos de aromaterapia que mejoran los niveles de serotonina administrados solo en la fase lútea, cuando los síntomas del síndrome premenstrual son más frecuentes, se destacan las indicaciones de uso clínico (Rapkin y Akopians 2012).

En los últimos 20 años de práctica privada, innumerables mujeres que sufren de síndrome premenstrual y tensión menopáusica, irritabilidad y estado de ánimo deprimido han mejorado múltiples síntomas con aceites esenciales únicos o mezclados de salvia, geranio, neroli e ylang-ylang como inhalaciones y / o masajes abdominales inferiores. Las inhalaciones iniciales reducen la irritabilidad, y los efectos de mayor duración vienen con tres meses de tratamientos dos veces al día a partir del día 14, el inicio del flujo menstrual. Las mujeres acostumbradas a instrucciones claras para el uso de medicamentos y tratamientos recetados aprecian pautas simples como los siguientes ejemplos:

• Inhale durante 2 a 5 minutos al menos dos veces al día.
• Aplique una loción mezclada en la parte inferior del abdomen y alrededor de las muñecas dos veces al día durante las últimas dos semanas de su ciclo.
• Agregue 4-6 gotas a la leche, luego viértala en su baño mientras entrar; bañarse por un mínimo de 20 minutos.
• Aplique al menos una cucharadita (5 ml) de loción mezclada directamente al área de incomodidad y masajee durante 1 a 2 minutos con la frecuencia que sea necesaria.
• Para el pánico o las náuseas, inhale de 2 a 10 minutos según sea necesario hasta que los síntomas mejoren.

En mi experiencia clínica, las mujeres solo necesitan instrucciones iniciales; luego pueden determinar las cantidades y la frecuencia que mejor funcionan para ellos. Con pautas claras de enfermería y partería para iniciar el tratamiento, las mujeres ven la terapia de una manera más positiva como una modalidad de curación legítima.

Capítulo 6

Aromaterapia para molestias menstruales

Las mujeres jóvenes que comienzan con menarquia y, a veces, durante décadas después, padecen diversas molestias menstruales que van desde calambres menstruales leves hasta un síndrome premenstrual intenso. Cuando una joven adolescente comienza su período, nuestros mensajes sobre su cuerpo permanecerán con ella toda la vida. La "bendición" de un cuerpo femenino (en oposición a la "maldición") destaca la especialidad de ser mujer y promueve una imagen corporal más saludable.

Las molestias son reales, ocurren mensualmente para muchos y pueden ser completamente incapacitantes, lo que lleva a ausencias a la escuela y al trabajo, así como afecta negativamente las relaciones y la calidad de vida. Entre las adolescentes, los estudios informan una incidencia del 50-90% de dismenorrea primaria (Sharma et al. 2008), dolor abdominal inferior que ocurre antes del inicio de la menstruación sin una patología estructural u hormonal identificable. En general, la dismenorrea, uno de Las afecciones ginecológicas más comunes afectan a más de la mitad de todas las mujeres.

Una encuesta de mujeres estadounidenses de entre 18 y 44 años indicó que el 67% usaba al menos una terapia de medicina alternativa complementaria (CAM), destacando la aromaterapia como la terapia más utilizada para la dismenorrea, es decir, el dolor y las molestias menstruales (Johnson et al.2016). La complejidad química de los aceites esenciales proporciona diversas propiedades terapéuticas, como las propiedades analgésicas, antiespasmódicas, estimulantes circulatorias y sedantes, lo que altera la percepción y las vías del dolor (Marzouk et al. 2013). Las mujeres disfrutan de los aromas que experimentan como agradables y relajantes, lo que mejora su sensación de bienestar. La aromaterapia alivia las sensaciones desagradables, al mismo tiempo que brinda un suave consuelo físico y emocional a la joven adolescente, facilitando su transición de niña a mujer joven mientras la educa sobre las opciones de autocuidado.

Los aceites esenciales más ligeros, como el limón, la lavanda, la mandarina y la bergamota inhalados en un difusor o baño, son calmantes y estimulantes para un adolescente más feliz. Los adolescentes disfrutan eligiendo sus propios aceites de una pequeña colección y auto-tratamiento según sea necesario. Difundir o rociar áreas comunes, personales o de estudio antes de que un adolescente regrese a casa de la escuela o la práctica altera la angustia de los días largos, a veces difíciles. El espacio personal se puede mejorar con una colección de mezclas hechas a medida basadas en sus preferencias de aroma. Los difusores para el enfoque o el estudio y las mezclas edificantes o calmantes pueden estar disponibles según lo consideren necesario y señalen a los padres estados emocionales subyacentes. Los adolescentes están lidiando con tantos problemas personales, a menudo intensificados por la dinámica familiar, que he descubierto que me ayudan con la aromaterapia.

Las molestias físicas y emocionales del ciclo mensual pueden ser aterradoras, impredecibles y debilitantes para el adolescente. La agradable variedad de aromas ofrece opciones individuales y la capacidad de tener control para mejorar la situación desagradable y mejorar el espacio personal. La inhalación de aceites cítricos (mandarina, bergamota, limón) o lavanda por separado o en mezclas actúa rápidamente para compensar las emociones repentinas y fuertes y disminuir la percepción del dolor. Masaje en la parte inferior del abdomen con aceites analgésicos y antiespasmódicos (lavanda, manzanilla romana, mejorana dulce) en loción actúa rápidamente para mitigar el dolor y los calambres. Estos métodos han tenido éxito durante décadas en mi práctica con mujeres jóvenes sedentarias y con atletas competitivos.

Lista del ciclo menstrual / dismenorrea de aceites esenciales clínicamente basados en evidencia

- Canela (Cinnamomum zeylancium)
- Salvia Clara (Salvia sclarea)
- Clavo (Syzygium aromaticum)
- Geranio (Pelargonium graveolens)
- Lavanda (Lavandula angustifolia)
- Rosa (Rosa damascena)
- Mejorana dulce (Mejorana origanum)

Aceites esenciales para el malestar del ciclo menstrual

Canela (Cinnamomum zeylancium)
Aceite de especias culinarias cálido y familiar.

*Seguridad: los casos de sensibilidad de la piel con canela (especialmente corteza) indican precaución y porcentajes bajos (0.5–1%) cuando se usa este aceite.

Método de aplicación: masaje.

Investigación: En todos los estudios, se ha agregado canela a una mezcla para masaje abdominal que se ha demostrado que alivia las molestias más que el masaje solo y disminuye la necesidad de analgésicos orales.

* Hur M et al (2012) "Masaje de aromaterapia en el abdomen para aliviar dolor menstrual en niñas de secundaria: un estudio clínico controlado preliminar ". Medicina complementaria y alternativa basada en evidencia, Epub 2012

* Marzouk T et al (2013) "El efecto del masaje abdominal de aromaterapia en el alivio del dolor menstrual en estudiantes de enfermería: un estudio cruzado aleatorio prospectivo". Medicina complementaria y alternativa basada en la evidencia, Epub 2013

Salvia Clara (Salvia sclarea)
Potente aroma a almizcle como salvia.

*Seguridad: eufórica; Evite utilizar maquinaria pesada después de su uso. Propiedades fitoestrogénicas; por lo tanto, evite durante el embarazo o con antecedentes de cáncer reproductivo. Si la endometriosis o el dominio del estrógeno es un problema, tenga cuidado con la salvia.

Método de aplicación: masaje.

Investigación: Todos los estudios con clary sage fueron mezclas de 3–6 aceites esenciales diluidos para un masaje abdominal y demostraron ser más efectivos para aliviar la dismenorrea que el aceite portador solo, o acetaminofén (en comparación con Hur et al. 2012): Han et al. (2006) (salvia, rosa otto y lavanda), Hur et al. (2012) (salvia clara, mejorana, canela, jengibre y geranio) y Ou et al. (2012) (salvia clara, lavanda y mejorana).

* Han S et al (2006) "Efecto de la aromaterapia sobre los síntomas de dismenorrea en estudiantes universitarios; un ensayo aleatorizado controlado con placebo ". Journal of Alternative and Complementary Medicine 12, 6, 535-541.

* Hur M et al (2012) "Masaje de aromaterapia en el abdomen para aliviar el dolor menstrual en niñas de secundaria: un estudio clínico controlado preliminar". Medicina complementaria y alternativa basada en evidencia, Epub 2012

* Ou M et al (2012) "Evaluación del alivio del dolor mediante masaje con aceites esenciales aromáticos en pacientes ambulatorios con dismenorrea primaria: un ensayo clínico aleatorizado, doble ciego". Journal of Obstetrics and Gynecology Research 38, 5, 817-822.

Clavo (Syzygium aromaticum)

Dulce, familiar aroma de especias culinarias. Un analgésico, aceite de especias anestésico, utilizado históricamente para el dolor de muelas y dolor de dentición, aislando eugenol en un gel anestésico tópico. El clavo no se ha utilizado comúnmente en las mezclas de aromaterapia de enfermería.

Método de aplicación: masaje.

Investigación: en Marzouk et al. (2013) el clavo en una combinación de masaje de cuatro aceites disminuyó el dolor y el sangrado menstrual en los primeros tres días de la menstruación significativamente mayor que el masaje solo. El anestésico local y el aumento de las propiedades de circulación del clavo se analizaron como posibles acciones terapéuticas.

* Marzouk T , El-Nemer A y Baraka H (2013) "El efecto del masaje abdominal con aromaterapia para aliviar el dolor menstrual en estudiantes de enfermería: un estudio cruzado aleatorio prospectivo". Medicina complementaria y alternativa basada en la evidencia, Epub 2013

Geranio (Pelargonium graveolens)
Fuerte aroma floral.

Método de aplicación: masaje.

Investigación: La mezcla del estudio incluyó geranio (salvia, mejorana, canela, jengibre y geranio) en un abdomen masaje, efectivo para reducir el dolor menstrual significativamente más que el analgésico oral acetaminofeno.

* Hur M et al (2012) "Masaje de aromaterapia en el abdomen para aliviar el dolor menstrual en niñas de secundaria: un estudio clínico controlado preliminar". Medicina complementaria y alternativa basada en la evidencia, Epub 2012

Lavanda (Lavandula angustifolia)
El aroma floral herbáceo suave y familiar es popular entre las mujeres de todas las edades y respetado por sus múltiples propiedades terapéuticas.

Método de aplicación: inhalación, masaje

Investigación: en el estudio de Nikjou et al. (2016) de 200 mujeres jóvenes de 19 a 29 años, se demostró que las inhalaciones de lavanda durante 30 minutos al día, en los días 1 a 3 del ciclo menstrual durante dos ciclos consecutivos, mejoraron significativamente niveles de dolor más que el grupo control; ninguno usó analgésicos adicionales. Apay y col. (2012) y Bakhtshirin et al. (2015) también encontraron que el masaje abdominal de lavanda alivia la dismenorrea significativamente más que el masaje solo. Raisi Dehkordi et al (2014) observaron que la lavanda diluida frotada en las manos e inhalada durante cinco minutos cada seis horas, comenzando una hora después de experimentar dismenorrea durante los primeros tres días de la menstruación, fue estadísticamente más efectiva para aliviar la dismenorrea primaria que el grupo de control, pero lo hizo No disminuye significativamente el flujo menstrual. En un metaanálisis de seis ECA (n = 362) Sut y Kahyaoglu-Sut (2017) encontraron que el masaje de aromaterapia con lavanda era superior al placebo para aliviar el dolor en la dismenorrea primaria y que la lavanda sola en el masaje era más efectiva que el masaje con otros aceites mezclados con lavanda. Otros estudios (Han et al. 2006; Ou et al. 2012) encontraron que la lavanda mezclada con otros aceites en el masaje abdominal fue, en todos los casos, más efectiva para aliviar el dolor que el placebo, y Marzouk et al (2013) notaron una disminución del sangrado menstrual además del dolor disminuido en el grupo de masajes de aromaterapia.

* Apay S et al (2012) "Efecto del masaje de aromaterapia sobre la dismenorrea en estudiantes turcos". Pain Management Nursing 13, 4, 236-240.

* Bakhtshirin F et al (2015) "El efecto del masaje de aromaterapia con aceite de lavanda sobre la severidad de la dismenorrea primaria en estudiantes de Arsanjan". Iranian Journal of Nursing and Midwifery Research 20, 1, 156-160.

* Han S et al (2006) "Efecto de la aromaterapia sobre los síntomas de dismenorrea en estudiantes universitarios; un ensayo aleatorizado controlado con placebo ". Journal of Alternative and Complementary Medicine 12, 6, 535-541.

* Marzouk T et al (2013) "El efecto del masaje abdominal de aromaterapia en el alivio del dolor menstrual en estudiantes de enfermería: un estudio cruzado aleatorio prospectivo". Medicina complementaria y alternativa basada en la evidencia, Epub 2013

* Nikjou R et al (2016) "El efecto de la aromaterapia de lavanda en la severidad del dolor de la dismenorrea primaria: un ensayo clínico aleatorizado triple ciego". Annals of Medical and Health Sciences Research 6, 4, 211-215.

* Ou M et al (2012) "Evaluación del alivio del dolor mediante masaje con aceites esenciales aromáticos en pacientes ambulatorios con dismenorrea primaria: un ensayo clínico aleatorizado, doble ciego". Journal of Obstetrics and Gynecology Research 38, 5, 817–822.

 * Raisi Dehkordi Z et al (2014) "Efecto de la inhalación de lavanda sobre los síntomas de la dismenorrea primaria y la cantidad de sangrado menstrual: un ensayo clínico aleatorizado". Terapias complementarias en medicina 22, 2, 212-219.

* Sut, N. y Kahyaoglu-Sut, H. (2017) "Efecto del masaje de aromaterapia sobre el dolor en la dismenorrea primaria: un metanálisis". Terapias complementarias en la práctica clínica 27, 5-10.

Rosa (Rosa damascena)

Fuerte aroma floral dulce conocido como la "reina de las flores", con afinidad por el sistema reproductor femenino desde la menarquia hasta la menopausia; a menudo asociado con mujeres mayores a través de recuerdos de la infancia.

Método de aplicación: inhalación, masaje

Investigación: en un estudio de Sadeghi Aval Shahr et al. (2015), el auto masaje con y sin aceite de rosa de otto se completó el primer día de la menstruación durante dos ciclos consecutivos, con una mejora estadísticamente significativa observada en el grupo de aceite de rosa de otto después del segundo ciclo, mayor que el masaje sin aceite de rosa de otto o sin tratamiento en absoluto. Uysal y col. (2016) descubrieron que el aceite de rosa otto vaporizado combinado con medicamentos era un alivio del dolor más efectivo que el mismo medicamento solo. Marzouk y col. (2013) (canela, clavo, rosa otto y lavanda) y Han et al. (2006) (otto de rosa, lavanda y salvia) combinan otto de rosa en mezclas de masaje abdominal con otros aceites esenciales, todos mostrando una reducción significativa del dolor, mayor que los abdominales ensayo controlado. "Journal of Alternative and Complementary Medicine 12, 6, 535–541.

* Marzouk T et al (2013) "El efecto del masaje abdominal de aromaterapia en el alivio del dolor menstrual en estudiantes de enfermería: un estudio cruzado aleatorio prospectivo". Medicina complementaria y alternativa basada en la evidencia, Epub 2013

* Sadeghi A et al (2015) "El efecto del masaje de auto-aromaterapia del abdomen en la dismenorrea primaria". Journal of Obstetrics and Gynecology 35, 4, 382-385.

* Uysal M et al. (2016) "Investigación del efecto del aceite esencial de rosa de otto en pacientes con dismenorrea primaria". Terapias complementarias en la práctica clínica 24, 45-49.

Mejorana dulce (mejorana oreganum)
Aroma dulce, amaderado, a base de hierbas. Relajante y clínicamente de apoyo en mezclas de dolor para lesiones musculares menores, dolores y molestias menstruales.

Método de aplicación: masaje

Investigación: En estudios, en una combinación de masaje abdominal, se ha demostrado que la mejorana dulce es efectiva para reducir el dolor y la necesidad de analgésicos orales con acetaminofén.

* Hur M et al (2012) "Masaje de aromaterapia en el abdomen para aliviar el dolor menstrual en niñas de secundaria: un estudio clínico preliminar controlado". Medicina complementaria y alternativa basada en la evidencia, Epub 2012: 187163.

* Ou M et al (2012) "Evaluación del alivio del dolor mediante masaje con aceites esenciales aromáticos en pacientes ambulatorios con dismenorrea primaria: un ensayo clínico aleatorizado, doble ciego". Journal of Obstetrics and Gynecology Research 38, 5, 817-822.

Mezclas menstruales

Flujo menstrual pesado
- Limón 2 gotas, lavanda 2 gotas, ciprés 1 gota en 5 ml de loción.

Calambres menstruales
- Lavanda 2 gotas, salvia clara 1 gota, rosa otto 1 gota en 5 ml de loción (mezcla Han et al. 2006).
- Lavanda 2 gotas, manzanilla romana 1 gota, mejorana dulce 1 gota en 5 ml de loción.

Retención de líquidos
- Geranio 2 gotas, mandarina 2 gotas en 5 ml de loción.

Tristeza, depresión leve
- Lavanda 3 gotas, otto de rosa 1 gota en 10 ml de aceite de jojoba. Ponga 4-6 gotas en una almohadilla de algodón e inhale durante todo el día durante 2-5 minutos a la vez.
- Lavanda 1 gota, limón 1 gota en 5 ml de aceite de jojoba. Ponga 4-6 gotas en un algodón e inhale durante todo el día.
- Mandarina 1 gota, bergamota 1 gota, limón 1 gota. Agregue 6-12 gotas de mezcla a una botella de vidrio de 1 oz, agregue agua destilada, agite y rocíe alrededor de usted 2-4 veces / día. Inhala y disfruta.

Las mujeres jóvenes responden excepcionalmente bien a la aromaterapia para los problemas menstruales y prefieren este método a los analgésicos orales. La combinación de autocuidado, elección de aceites esenciales, fuerza de mezcla y aromas agradables mejora la experiencia y la calidad de vida. En mi práctica privada, el uso constante de aceites y / o mezclas individuales seleccionados en diversos métodos ha demostrado una mejora significativa de los síntomas en semanas o meses.

Tabla de referencia rápida: molestias menstruales

Condición	Aceites esenciales (mezclas de 1-3)	Métodos
Pesadez abdominal, retención de líquidos.	Geranio, lavanda, mejorana dulce	Masaje abdominal bajo antes de la menstruación
Calambres menstruales	Lavanda, mejorana dulce, salvia clara, canela, clavo	Masaje abdominal bajo según sea necesario
Flujo menstrual pesado	Lavanda, clavo	Inhalación en un algodón y masaje abdominal bajo días 1-3 de periodo
Tristeza, depresión leve	Rosa, lavanda, salvia clara, geranio, yuzu	Inhalación en una almohadilla de algodón, difusor, spray aromatico

Capítulo 7

Aromaterapia para el síndrome premenstrual (SPM)

Una semana a diez días antes del inicio de su período, la fase lútea del ciclo, la mayoría de las mujeres en edad reproductiva son propensas a experimentar un grupo de síntomas físicos y emocionales leves a severos conocidos como síndrome premenstrual o síndrome premenstrual. Los niveles cambiantes de progesterona y estrógeno, desequilibrados en muchas mujeres, son los culpables de intensos sentimientos de irritabilidad, tensión, depresión, estrés elevado, a menudo descritos como "Siento que me estoy saltando de la piel" o, en el peor de los casos, "Voy a arrancarte la cara": pura miseria para la mujer, así como para aquellos en su camino personal o profesional. Estar físicamente incómoda con la retención de líquidos, sensibilidad en los senos, aumento de peso, hinchazón, cambios gastrointestinales y dolor abdominal hace que las mujeres se sientan miserables con unmenstrual por años. El síndrome premenstrual en los tiempos modernos tiene una incidencia del 40 al 80% de las mujeres en todo el mundo y está documentado desde Hipócrates (520-460 a. C.).

La Asociación de Enfermeras de Salud, Obstetricia y Neonatología de las Mujeres (AWHONN) etiqueta esta colección de síntomas como "dolor e incomodidad perimenstrual cíclica" (CPPD), que refleja la naturaleza dinámica de los síntomas (Collins Sharp et al. 2002). Múltiples estudios estiman una incidencia global del 80-97% de las mujeres que experimentan al menos un síntoma en algún momento de su vida reproductiva (Halbreich 2003; Ju et al. 2014; Milewicz y Jedrzejuk 2006; Wittchen et al. 2002). Múltiples días perdidos en el trabajo y la escuela y, en su extremo, la disfunción psicológica grave puede ser la realidad para muchas mujeres.

El efecto del síndrome premenstrual sobre el sistema endocrino, psicológico y nervioso debido al aumento del cortisol, la disminución del desequilibrio de la serotonina y el estrógeno / progesterona está bien documentado. Los estudios de investigación de aromaterapia que miden los niveles pre y post de hormonas del estrés y los corelacion positivamente con los cambios autoinformados en los estados de ánimo, proporcionan un mecanismo de acción potencial para la aromaterapia a nivel fisiológico y ofrecen una herramienta válida para aliviar las muchas molestias de PMS Como la mayoría de las mujeres (y muchos hombres) saben, el SPM es miserable y, a veces, puede ser aterrador. Como resultado de la alta incidencia de ocurrencia y las preocupaciones de las mujeres sobre los factores de riesgo con los productos farmacéuticos, muchos se tratan a sí mismos con CAM, y las mujeres son particularmente aficionados a la aromaterapia como una modalidad de autocuidado.

Lista de PMS de aceites esenciales clínicamente basados en evidencia
• Lavanda (Lavandula angustifolia)
• Yuzu (Citrus junos)

Lavanda (Lavandula angustifolia)
Aroma familiar suave, herbáceo, floral.

Propiedades terapéuticas: las propiedades calmantes y sedantes de la lavanda alivian la angustia, la tensión y la irritabilidad del síndrome premenstrual. Los estudios indican que las inhalaciones mejoran los puntajes autoinformados de estrés, ansiedad y depresión del síndrome premenstrual.

Método de aplicación: inhalación

Investigación: Uzuncakmak y Alkaya (2017) mostraron que las inhalaciones de vapor de lavanda una vez al día, comenzando diez días antes del inicio de la menstruación hasta que comienza el flujo menstrual, durante tres ciclos consecutivos resultaron en mejoras significativas en la ansiedad, el afecto depresivo y los pensamientos, el dolor y la hinchazón del síndrome premenstrual. Matsumoto y col. (2013) midieron los efectos sobre el sistema nervioso parasimpático de las inhalaciones de lavanda de diez minutos por parte de mujeres que experimentaron SPM en la fase lútea tardía. Se observaron mejoras rápidas significativas en la variabilidad de la frecuencia cardíaca (VFC), que muestra una respuesta parasimpática, así como una mejora en los síntomas autoinformados de depresión, abatimiento y confusión medidos por el Perfil de Estados de ánimo (POMS; Yokoyama y Araki 1994). Matsumoto y col. (2017) compararon la actividad parasimpática y el POMS autoinformado con inhalaciones de diez minutos de yuzu y lavanda, que indicaron una reducción significativa en la frecuencia cardíaca, tensión, ansiedad, ira, hostilidad y fatiga. Las inhalaciones de yuzu y lavanda tuvieron respuestas muy similares, por lo que ambas podrían usarse para los síntomas emocionales del síndrome premenstrual.

* Matsumoto, T., Asakura, H. y Hayashi, T. (2013) "¿La aromaterapia de lavanda alivia los síntomas emocionales premenstruales? Un ensayo cruzado aleatorio. "Biopsychosocial Medicine 7, 1, 12.

* Matsumoto, T., Kimura, T. y Hayashi, T. (2017) "¿La fragancia japonesa de los cítricos yuzu (Citrus junos Sieb. Ex Tanaka) tiene efectos terapéuticos similares a la lavanda que alivian los síntomas emocionales premenstruales? Un estudio cruzado aleatorio simple ciego. "Journal of Alternative and Complementary Medicine 23, 6, 461–470.

* Uzuncakmak, T. y Alkaya, S.A. (2017) "Efecto de la aromaterapia en el tratamiento del síndrome premenstrual: un ensayo controlado aleatorio". Terapias complementarias en medicina 36, 63-67.

* Yokoyama, K. y Araki, S. (1994) Manual de la traducción japonesa de POMS. Tokio: Kaneko Shobo.

CORTISOL
ELEVADO

CORTISOL
DISMINUIDO

Yuzu (Citrus junos)

Aroma cítrico fresco, suave y floral similar al pomelo y la mandarina. Su exótico aroma cítrico ofrece una bienvenida opción no tradicional para el bienestar.

Método de aplicación: inhalación

Investigación: Matsumoto et al. (2017) estudiaron mujeres con síndrome premenstrual que completaron inhalaciones de yuzu durante diez minutos durante la fase lútea; Los resultados fueron comparables a los efectos relajantes de la lavanda, con respuestas parasimpáticas de disminución de la frecuencia cardíaca y la VFC, así como la mejora autoinformada por POMS de tensión, ansiedad, ira, hostilidad y fatiga.

* Matsumoto, T., Kimura, T. y Hayashi, T. (2017) "¿La fragancia japonesa de los cítricos yuzu (Citrus junos Sieb. Ex Tanaka) tiene efectos terapéuticos similares a la lavanda que alivian los síntomas emocionales premenstruales? Un estudio cruzado aleatorio simple ciego. "Journal of Alternative and Complementary Medicine 23, 6, 461-470.

La reducción inmediata de los síntomas emocionales intensos del síndrome premenstrual respalda el uso de la aromaterapia como una primera respuesta "ir a" con la aparición de síntomas mensuales. En mi práctica clínica, soy testigo repetidamente de esta respuesta con múltiples aceites esenciales relajantes como la rosa de otto, la lavanda, el ylang-ylang, la salvia, el geranio, el incienso y el neroli, que tienen evidencia clínica de reducción del estrés y la ansiedad. La evidencia actual de inhalación con aceites esenciales calmantes, la reducción de los niveles de CgA, cortisol y adrenalina, y la mejora de los estados de ánimo asociados con el síndrome premenstrual, respalda la aromaterapia como una opción de tratamiento de autocuidado.

Tabla de referencia rápida: síndrome premenstrual (SPM)

Condición	Aceites esenciales (mezclas de 1-3)	Métodos
Ira, tensión, irritabilidad.	Lavanda, yuzu, salvia clara, geranio, rosa	Inhalación en una almohadilla de algodón; diluir en loción, frotar debajo de la nariz y frotar alrededor de las muñecas y los tobillos
Ansiedad	Lavanda, rosa, geranio, yuzu, mejorana dulce, salvia clara	Inhalación en una almohadilla de algodón, masaje, spray aromatico.
Pesadez abdominal, hinchazón, retención de líquidos.	Geranio, lavanda, mejorana dulce	Masaje abdominal bajo durante 2-3 días antes de la menstruación
Calambres menstruales	Lavanda, mejorana dulce,	Masaje abdominal bajo

	salvia clara, canela, clavo	según sea necesario
Flujo menstrual pesado	Lavanda, clavo	Inhalación en una almohadilla de algodón y masaje abdominal inferior días 1–3 de período
Tristeza, depresión leve	Rosa, lavanda, salvia clara, geranio, yuzu	Inhalación en una almohadilla de algodón, difusor, spray aromatico.

Capítulo 8

Aromaterapia para la menopausia

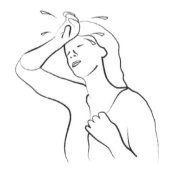

La menopausia se define como el final de los años reproductivos con la ausencia de menstruaciones durante un año continuo. La edad promedio para la menopausia es de 51 años, y algunas mujeres experimentan síntomas físicos y emocionales hasta diez años antes del cese completo del flujo menstrual, conocido como el "período de perimenopausia". La rápida disminución de la producción de estrógenos en los ovarios cambia el delicado equilibrio hormonal , produciéndose cantidades marginales de las glándulas suprarrenales. Los síntomas físicos clásicos de la menopausia incluyen sofocos vasomotores y sudores nocturnos que conducen a la pérdida de sueño y sensaciones constantes de aumento del calor, y cambios vaginales con sequedad, disminución de la elasticidad y atrofia, que conducen a relaciones sexuales dolorosas. Hay síntomas emocionales que acompañan a la depresión y la confusión, y un aumento de los factores de riesgo de eventos cardiovasculares y osteoporosis. Las mujeres también notan tristemente cambios en el cabello y la piel que resaltan el proceso de envejecimiento a menudo inoportuno. La cuestión de cuál es la mejor forma de tratar alguno o todos estos síntomas es todo un desafío.

Neurotransmisores, hormonas y aromaterapia para la salud de las mujeres

Múltiples estudios de aromaterapia (Chen et al. 2017; Hosseini et al. 2016; Hur et al. 2012; Lee et al. 2014; Watanabe et al. 2015) han mostrado disminuciones en el cortisol salival (hormona del estrés) y aumentos en la serotonina 5HT ("Neurotransmisor antidepresivo") y niveles de estrógenos con tratamientos de aromaterapia por inhalación y masaje.

CORTISOL
DISMINUIDO

Los investigadores están ampliando sus consultas más allá de los puntajes de tratamiento pre y post aromaterapia autoinformados para medir los niveles fisiológicos de saliva y suero. En estos estudios, los síntomas resultantes de la deficiencia elevada de cortisol y serotonina, y la severidad del síndrome premenstrual y los síntomas de la menopausia mejoraron con inhalaciones simples de aromaterapia y tratamientos de masaje. La duración del tratamiento varió de tratamientos individuales a dos veces por semana durante 12 semanas, y hubo mejoras a más largo plazo. Estos resultados ofrecen opciones terapéuticas a corto y largo plazo con riesgos mínimos y efectos duraderos.

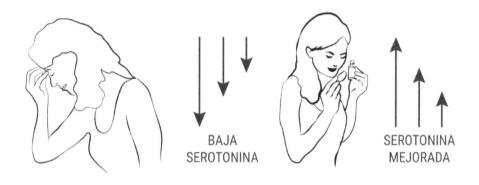

BAJA
SEROTONINA

SEROTONINA
MEJORADA

Históricamente, a las mujeres menopáusicas se les recetó TRH: la misma dosis de los mismos medicamentos, premarin y progestina, para todas las mujeres, en lugar de una talla única. En 2002, todo esto cambió cuando el estudio multicéntrico de la Iniciativa de Salud de la Mujer (WHI) que evaluaba los principales riesgos y beneficios de la preparación hormonal que se había recetado en los EE. UU. Durante décadas se suspendió prematuramente. Los hallazgos indicaron un mayor riesgo de enfermedad coronaria (CHD), accidente cerebrovascular, embolia pulmonar y cáncer de mama con HRT. El Estudio de Reemplazo de Estrógenos del Corazón (HERS) también indicó un aumento de la incidencia de CHD en el primer año (Roussow et al. 2002). Se reveló que Celebrex y Vioxx, medicamentos ampliamente recetados para el dolor crónico, aumentaban las enfermedades cardíacas graves y el riesgo de accidente cerebrovascular, y se retiraron del mercado (Sibbald 2004). También se encontró que los medicamentos recetados antidepresivos aumentan el riesgo de suicidio en adultos jóvenes, lo que aumenta aún más el temor general a los productos farmacéuticos (Hammad 2006).

El efecto acumulativo de estos hallazgos condujo a la desconfianza con las compañías farmacéuticas y las mujeres que buscan opciones terapéuticas para ellas y sus familias.

Una encuesta de más de 10,000 mujeres de 59 a 64 años indicó que el 75% usaba CAM auto prescrita y casi el 40% consultaba a un profesional de CAM (Peng et al. 2014). Los aceites de aromaterapia tenían más probabilidades de usarse para la ansiedad y los sofocos que otras modalidades de CAM.

Se cree que los niveles fluctuantes de estrógeno, cortisol y serotonina son factores contribuyentes en los síntomas físicos y psicológicos de la menopausia. Como se demostrará en la siguiente revisión de evidencia, múltiples estudios de aromaterapia han demostrado que ciertos aceites esenciales afectan los niveles hormonales y de neurotransmisores con notables mejoras en los síntomas de la menopausia. Los métodos de inhalación con aromaterapia fueron los métodos utilizados durante 5 a 30 minutos de duración, una o dos veces al día, durante cinco días en el transcurso de ocho semanas, todos con resultados positivos.

Lista de aceites esenciales clínicamente basados en evidencia para la menopausia

- Bergamota (Citrus bergamia)
- Salvia Clara (Salvia sclarea)
- Ciprés (Cupressus sempervirens)
- Geranio (Pelargonium graveolens)
- Jazmín (Jasminum grandiflorum o Jasminum sambac)
- Lavanda (Lavandula angustifolia)
- Mandarina (Citrus reticulata)
- Neroli (Citrus aurantium var. Amara)
- Menta (Mentha piperita)
- Manzanilla romana (Anthemis nobilis)
- Romero (Rosmarinus officinalis)
- Rosa (Rosa damascena)
- Ylang-ylang (Cananga odorata)
- Yuzu (Citrus junos)

Aceites esenciales para la menopausia.

Bergamota (Citrus bergamia)
El aroma es de madera, cítricos amargos.

Método de aplicación: masaje

Investigación: Los síntomas depresivos de la menopausia en el índice de Kupperman (KI) mejoraron después de dos masajes con un mes de diferencia para varios aceites, incluida la bergamota en el estudio de Murakami et al. (2005).

* Murakami S et al (2005) "Aromaterapia para pacientes ambulatorias con síntomas de menopausia en obstetricia y ginecología". Journal of Alternative and Complementary Medicine 11, 3, 491–494.

Salvia Clara (Salvia sclarea)
Fuerte almizcle, aroma de hierbas como salvia.

*Seguridad: Salvia sclarea es profundamente relajante y eufórico, y se recomienda precaución al operar maquinaria pesada. Potencializa el alcohol. Evitar durante el embarazo o con antecedentes de cánceres reproductivos debido a propiedades fitoestrogénicas

Método de aplicación: masaje, inhalación.

Investigación: Lee et al. (2014) encontraron que después de la inhalación, los niveles de cortisol disminuyeron significativamente y 5HT / serotonina aumentó significativamente, lo que demuestra el potencial antidepresivo (5HT) y la reducción de cortisol de la salvia en mujeres menopáusicas. Seo y Park (2003) demostraron que la inhalación de dos gotas en una almohadilla cada cuatro horas durante el día durante dos semanas logró reducciones significativas en las escalas de síntomas físicos y psicológicos de la menopausia, lo que respalda positivamente el uso del estrés en la menopausia. En el estudio de Murakami et al. (2005), los síntomas depresivos de la menopausia en el Índice de Kupperman (KI) mejoraron después de dos masajes con un mes de diferencia para varios aceites, incluyendo salvia.

* Lee, K.B., Cho, E. y Kang, Y.S. (2014) "Cambios en los niveles plasmáticos de 5-hidroxitriptamina y cortisol en mujeres menopáusicas después de la inhalación de aceite de salvia". Phytotherapy Research 28, 11, 1599-1605.

* Murakami S et al. (2005) "Aromaterapia para pacientes ambulatorias con síntomas de menopausia en obstetricia y ginecología". Journal of Alternative and Complementary Medicine 11, 3, 491-494.

* Seo H y Park K (2003) "Un estudio sobre los efectos del método de inhalación de aroma usando aceite esencial de Salvia sobre el estrés en mujeres de mediana edad". Korean Journal of Women Health Nursing 9, 1, 70-79.

Ciprés (Cupressus sempervirens)

El ciprés es de hoja perenne con un fresco aroma a madera. Las propiedades astringentes facilitan la transpiración, el exceso de flujo menstrual y la retención de líquidos.

Método de aplicación: masaje.

Investigación: en Lee (2002), una mezcla de geranio, manzanilla romana y ciprés mostró mejoria en los síntomas de la menopausia con dos masajes de aromaterapia, con un mes de diferencia.

* Lee, S.H. (2002) "Efectos del masaje de aromaterapia sobre la depresión, la autoestima, los síntomas climatéricos en las mujeres de mediana edad". Korean Journal of Women Health Nursing 8, 2, 278-288.

Geranio (Pelargonium graveolens)

Un fuerte aroma floral apreciado por las mujeres por sus efectos de equilibrio emocional y físico asociados con la menopausia.

Método de aplicación: inhalación, masaje.

Investigación: Shinohara et al. (2017) estudiaron los efectos de la inhalación de varios aceites esenciales (salvia, incienso, geranio, lavanda, jazmín absoluto, azahar, rosa, ylang-ylang, naranja y manzanilla romana) en la concentración de estrógenos. Los resultados demostraron un aumento de la concentración de estrógenos salivales, específicamente con la exposición a aceites esenciales de geranio y rosa en comparación con el olor de control. El masaje de aromaterapia con mezclas de aceites esenciales que contienen geranio en los otros estudios demostró una mejoría de los síntomas físicos y emocionales de la menopausia. Clínicamente, también hemos experimentado el geranio como ayuda para la edema en los piernas y tobillos con masaje de aromaterapia ascendente.

* Darsareh F et al (2012) "Efecto del masaje de aromaterapia en los síntomas de la menopausia: Un ensayo clínico aleatorizado controlado con placebo ". Menopausia 19, 9, 995-999.

* Hur M, Yang Y y Lee M (2008) "El masaje de aromaterapia afecta los síntomas de la menopausia en mujeres climatéricas coreanas: un ensayo clínico controlado por piloto". Medicina complementaria y alternativa basada en la evidencia 5, 3, 325-328.

* Kim S et al (2016) "Efectos de la aromaterapia sobre los síntomas de la menopausia, el estrés percibido y la depresión en mujeres de mediana edad: una revisión sistemática". Revista de la Academia Coreana de Enfermería 46, 5, 619-629.

* Murakami S et al (2005) "Aromaterapia para pacientes ambulatorias con síntomas de menopausia en obstetricia y ginecología". Journal of Alternative and Complementary Medicine 11, 3, 491-494.

* Shinohara K et al (2017) "Efectos de la exposición a aceites esenciales en la concentración de estrógenos salivales en mujeres perimenopáusicas". Neuro Endocrinology Letters 37, 8, 567-572.

* Taavoni S et al (2013) "El efecto del masaje de aromaterapia sobre los síntomas psicológicos de las mujeres iraníes posmenopáusicas". Terapias complementarias en medicina 21, 3, 158-163.

Jazmín (Jasminum officinale)
Sensual y fortalecedor exótico floral.

Método de aplicación: masaje, inhalación

Investigación: el estudio de Hur et al. (2008) de un masaje semanal con aceites mezclados (jazmín, rosa, geranio, lavanda) durante ocho semanas mostró mejoras en el índice de Kupperman (KI) para el dolor menopáusico, la depresión y los sofocos. Clínicamente mujeres a menudo informan un mejor estado de ánimo y una mayor fuerza psicológica con 2-4% de inhalaciones de jazmín

* Hur M, Yang Y y Lee M (2008) "El masaje de aromaterapia afecta los síntomas de la menopausia en mujeres climatéricas coreanas: un ensayo clínico controlado por piloto". Medicina complementaria y alternativa basada en evidencia 5, 3, 325-328.

* Kim S et al (2016) "Efectos de la aromaterapia sobre los síntomas de la menopausia, el estrés percibido y la depresión en mujeres de mediana edad: una revisión sistemática". Revista de la Academia Coreana de Enfermería 46, 5, 619-629.

Lavanda (Lavandula angustifolia)
Las propiedades calmantes de la lavanda identificadas en los estudios y en mi práctica son especialmente útiles para reducir el estrés y los cambios de la menopausia.

Método de aplicación: inhalación, masaje

Investigación: Kazemzadeh et al. (2016) informaron que las inhalaciones de lavanda de 20 minutos dos veces al día durante 12 semanas disminuyeron los sofocos en mujeres menopáusicas en un 50%. Los otros estudios de mezclas de masajes con aceites esenciales incluyeron lavanda, con mejoras significativas en los síntomas físicos y psicológicos de la menopausia. La intensidad, la frecuencia y la duración de los sofocos y los sudores nocturnos, la tensión y la irritabilidad mejoran rápidamente con la inhalación o con el contacto refrescante de la piel de un spray de lavanda.

* Darsareh F et al (2012) "Efecto del masaje de aromaterapia sobre los síntomas de la menopausia: un ensayo clínico aleatorizado controlado con placebo". Menopausia 19, 9, 995-999.

* Hur M, Yang Y y Lee M (2008) "El masaje de aromaterapia afecta los síntomas de la menopausia en el climaterio coreano
mujeres: un ensayo clínico controlado por piloto ". Basado en la evidencia
Medicina complementaria y alternativa 5, 3, 325–328.

* Kazemzadeh R et al (2016) "Efecto de la aromaterapia de lavanda en los sofocos de la menopausia: un ensayo clínico aleatorizado cruzado". Revista de la Asociación Médica China 79, 9, 489-492.

* Kim S et al (2016) "Efectos de la aromaterapia sobre los síntomas de la menopausia, el estrés percibido y la depresión en mujeres de mediana edad: una revisión sistemática". Revista de la Academia Coreana de Enfermería 46, 5, 619-629.

* Murakami S et al (2005) "Aromaterapia para pacientes ambulatorias con síntomas de menopausia en obstetricia y ginecología". Journal of Alternative and Complementary Medicine 11, 3, 491-494.

* Taavoni S et al (2013) "El efecto del masaje de aromaterapia sobre los síntomas psicológicos de las mujeres iraníes posmenopáusicas". Terapias complementarias en medicina 21, 3, 158–163.

Mandarina (Citrus reticulata)
Suave aroma cítrico.

Método de aplicación: masaje

Investigación: En un masaje de 30 minutos con aceites mezclados (mandarina, lavanda, ylang-ylang) tres veces a la semana durante dos semanas, se observaron mejores puntuaciones en los síntomas menopáusicos físicos y psicológicos (Son y Kim 2013).

* Hijo, H.O. y Kim, H.N. (2013) "Efectos del masaje de aroma de espalda en el alivio del estrés de las mujeres de mediana edad". Revista de la Sociedad Coreana de Estética y Cosmeceutica 8, 2, 111-123.

Neroli (Citrus aurantium var amara)
Neroli es un popular aceite de inhalación para la ansiedad, el estrés y el pánico.

Método de aplicación: inhalación

Investigación: el estudio de Choi et al. (2014) mostró que las inhalaciones de 1-5% de neroli dos veces al día durante cinco días aumentaron la libido y la calidad de vida; Se informó disminución de la presión arterial diastólica y el pulso.

* Choi S (2014) "Efectos de la inhalación de aceite esencial de Citrus aurantium I var. amara sobre los síntomas de la menopausia, el estrés y el estrógeno en las mujeres posmenopáusicas: un ensayo controlado aleatorio ". Medicina complementaria y alternativa basada en la evidencia, Epub 2014

* Murakami S et al (2005) "Aromaterapia para pacientes ambulatorias con síntomas de menopausia en obstetricia y ginecología". Journal of Alternative and Complementary Medicine 11, 3, 491-494.

Menta (Mentha piperita)
Fuerte y fresco aroma de menta culinaria a base de hierbas. Clínicamente, un aceite estimulante, refrescante como una inhalación popular y muy efectiva para las náuseas médicas /quirúrgicas y de migraña.

Método de aplicación: masaje

Investigación: Los síntomas depresivos de la menopausia en el Índice de Kupperman (KI) mejoraron después de dos masajes con un mes de diferencia para varios aceites, incluida la menta en el estudio de Murakami et al. (2005). En las mezclas de masaje, el estrés, el dolor y la depresión asociados con la menopausia mejoraron.

* Murakami S et al (2005) "Aromaterapia para pacientes ambulatorias con síntomas de menopausia en obstetricia y ginecología". Journal of Alternative and Complementary Medicine 11, 3, 491–494.

Manzanilla romana (Anthemis nobilis)

La manzanilla romana es un analgésico calmante útil para el sueño, el dolor y los calambres abdominales y musculares. Útil para una amplia gama de problemas de salud de la mujer.

Método de aplicación: masaje.

Investigación: Lee (2002) observó mejoras en los síntomas de la menopausia con dos masajes de aromaterapia, con un mes de diferencia, usando una mezcla de manzanilla romana, geranio y ciprés.

* Lee S (2002) "Efectos del masaje de aromaterapia sobre la depresión, la autoestima, los síntomas climatéricos en las mujeres de mediana edad". Korean Journal of Women Health Nursing 8, 2, 278–288.

* Murakami S et al (2005) "Aromaterapia para pacientes ambulatorias con síntomas de menopausia en obstetricia y ginecología". Journal of Alternative and Complementary Medicine 11, 3, 491–494.

Romero (Rosmarinus officinalis)

"Romero para el recuerdo" se usó históricamente para el estudio y la memoria. Familiar en la cocina mediterránea. Clínicamente, el romero es un aceite estimulante, que mejora el enfoque y el estado de alerta como inhalación y analgésico en las mezclas para el dolor.

Método de aplicación: masaje.

Investigación: Estudios de Darsareh et al. (2012) y Taavoni et al. (2013) midieron los síntomas psicológicos (irritabilidad, agotamiento, ansiedad y estado de ánimo deprimido, agotamiento) de las mujeres menopáusicas (de 45 a 60 años) con una mezcla de masaje al 3% (lavanda, geranio, rosa y romero) 30 minutos dos veces por semana durante cuatro semanas. Todos los síntomas mejoraron significativamente más en el grupo de aromaterapia que el masaje solo, posiblemente debido a la selección experta de aceites esenciales.

* Darsareh F et al (2012) "Efecto del masaje de aromaterapia sobre los síntomas de la menopausia: un ensayo clínico aleatorizado controlado con placebo". Menopausia 19, 9, 995-999.

* Taavoni S et al (2013) "El efecto del masaje de aromaterapia en los síntomas psicológicos de las mujeres iraníes posmenopáusicas". Terapias complementarias en medicina 21, 3, 158 –163.

Rosa (rosa damascena)
La afinidad de la rosa por equilibrar el sistema reproductor femenino es particularmente evidente en la menopausia.

Método de aplicación: inhalación, masaje

Investigación: Shinohara et al. (2017) estudiaron los efectos de la inhalación de varios aceites esenciales (salvia esclaria, incienso, geranio, lavanda, jazmín, neroli, rosa, ylang-ylang, naranja y manzanilla romana) en la concentración de estrógenos. Los resultados demostraron un aumento de la concentración de estrógenos salivales específicamente con la exposición a aceites esenciales de geranio y rosa otto en comparación con el olor de control. Se calmó la ansiedad y la irritabilidad, se mejoró la depresión y se alteraron los niveles de estrógenos salivales en los siguientes estudios mediante inhalación y masaje.

* Darsareh F et al (2012) "Efecto del masaje de aromaterapia sobre los síntomas de la menopausia: un ensayo clínico aleatorizado controlado con placebo". Menopausia 19, 9, 995-999.

* Hur M, Yang Y y Lee M (2008) "El masaje de aromaterapia afecta los síntomas de la menopausia en el climaterio coreano mujeres: un ensayo clínico controlado por piloto ". Basado en la evidencia Medicina complementaria y alternativa 5, 3, 325-328.

* Kim S et al (2016) "Efectos de la aromaterapia sobre los síntomas de la menopausia, el estrés percibido y la depresión en mujeres de mediana edad: una revisión sistemática". Revista de la Academia Coreana de Enfermería 46, 5, 619-629.

* Murakami S et al (2005) "Aromaterapia para pacientes ambulatorias con síntomas de menopausia en obstetricia y ginecología". Journal of Alternative and Complementary Medicine 11, 3, 491-494.

* Shinohara K et al (2017) "Efectos de la exposición a aceites esenciales sobre la concentración de estrógenos salivales en mujeres perimenopáusicas". Neuro Endocrinology Letters 37, 8, 567-572.

* Taavoni S et al (2013) "El efecto del masaje de aromaterapia sobre los síntomas psicológicos de las mujeres iraníes posmenopáusicas". Terapias complementarias en medicina 21, 3, 158-163.

Ylang-ylang (Cananga odorata)
Aroma floral exótico. Clínicamente mejoró la ira, la irritabilidad y los síntomas de estrés.

* **Seguridad**: puede causar dolores de cabeza, mejor al 1–2%.

Método de aplicación: masaje.

Investigación: Estudiado en una mezcla de masaje, se demostró que reduce el estrés y mejora la depresión. Relajar la tensión, la ira, la irritabilidad, la depresión y el estrés es la fuerza del ylang-ylang en la combinación de salud de cualquier mujer.

* Kim S et al (2016) "Efectos de la aromaterapia sobre los síntomas de la menopausia, el estrés percibido y la depresión en mujeres de mediana edad: una revisión sistemática". Revista de la Academia Coreana de Enfermería 46, 5, 619-629.

* Murakami S et al (2005) "Aromaterapia para pacientes ambulatorias con síntomas de menopausia en obstetricia y ginecología". Journal of Alternative and Complementary Medicine 11, 3, 491–494.

Yuzu (Citrus junos)
Aroma floral cítrico, similar al pomelo con mandarina. Originado en Japón y ampliamente utilizado en Asia; menos familiar en el oeste.

Método de aplicación: masaje.

Investigación: Los síntomas depresivos de la menopausia en el Índice de Kupperman (KI) mejoraron después de dos masajes con un mes de diferencia para varios aceites, incluido el yuzu en el estudio de Murakami et al. (2005).

* Murakami S et al (2005) "Aromaterapia para pacientes ambulatorias con síntomas de menopausia en obstetricia y ginecología". Journal of Alternative and Complementary Medicine 11, 3, 491–494.

La aromaterapia para la menopausia abarca los aceites esenciales más lujosos con varias opciones para los variados aspectos físicos y emocionales de esta etapa bastante larga en la vida de una mujer. Variar los aceites cada tres semanas ofrece variedad y mayor efectividad a medida que cambian los niveles hormonales. Mi experiencia personal y profesional ha demostrado que la preferencia y la eficacia del aroma pueden cambiar de peri a posmenopausia, así que continúe explorando las opciones.

¡Disfrute del regalo curativo de la aromaterapia para mejorar la vida de sus pacientes y la de sus seres queridos!

Bendiciones aromáticas, Pam

Tabla de referencia rápida: menopausia

Condición	Aceites esenciales (mezclas de 1–3)	Métodos
Ansiedad	Rosa, lavanda, geranio, neroli, ylang-ylang, yuzu, salvia clara, mandarina, manzanilla romana	Inhalación en una almohadilla de algodón o inhalador personal, difusor, baño, masaje, spray aromático
Depresión	Lavanda, rosa, jazmín, geranio, bergamota, mandarina, neroli, yuzu, menta, limón.	La inhalación en una almohadilla de algodón o inhalador personal, difusor, spray aromático, masaje
Sudores nocturnos	Lavanda, limón, menta, ciprés	Rocíe las sábanas, inhale, calme el baño antes de acostarse, spray aromático para refrescarse

Sofocos	Salvia clara, geranio, rosa, lavanda, menta, limón, ciprés	Inhalación en una almohadilla de algodón para calmar, spray aromático para enfriar la piel
Irritabilidad	Ylang-ylang, neroli, geranio, lavanda, salvia clara	Inhalación en una algodón de algodón, spray aromático, masaje de hombros o manos.
Libido / deseo sexual	Jazmín, rosa, lavanda, ylang-ylang	Inhalación en una almohadilla de algodón, baños, spray aromático o masajes para parejas, habitación o sábanas
Cambios en la piel	Rosa, lavanda	Diluir 4% en loción, masajear en la piel
El Duelo	Rosa, lavanda, incienso	Inhalación en una almohadilla de algodón, masaje, baño, spray aromático.
Palpitaciones del corazón / taquicardia	Ylang-ylang, lavanda	La inhalación en una almohadilla de algodón, difusor; **siempre ser evaluado por un médico**
Dificultad para concentrarse / concentrarse	Romero, menta	Inhalación en una almohadilla de algodón, difusor, spray aromático
Cambios de ánimo	Geranio, salvia clara, rosa, ylang-ylang, lavanda	Inhalación en una almohadilla de algodón, spray aromático, aplicación de piel en hombros, pecho, muñecas

Apéndice

Política de muestra de aromaterapia clínica (EEUU)

Declaración de política

La aromaterapia es el arte de usar aceites esenciales para ayudar a restablecer el equilibrio del cuerpo. Es una terapia complementaria, cuyo objetivo es tratar a toda la persona en un nivel mental, físico y emocional para promover la salud y el bienestar.

Los aceites esenciales se destilan al vapor, se expresan o se extraen de varias partes de plantas aromáticas.

Requisitos educativos

- Las enfermeras o parteras como practicantes de terapias complementarias deben adherirse a la práctica segura adecuada a su ámbito habitual de práctica, política hospitalaria y junta estatal, además de las pautas específicas para las terapias complementarias individuales.
- Las enfermeras o parteras sin una certificación reconocida que deseen usar aromaterapia primero deben completar la instrucción educativa en talleres diseñados específicamente para instruirlos en la aplicación de aromaterapia basada en evidencia clínica para su uso en mujeres embarazadas, en trabajo de parto y posparto. Estos cursos proporcionarán prueba de competencia y finalización exitosa.
- Las enfermeras deben mantener y mejorar su conocimiento y competencia en relación con la aromaterapia como se destaca en políticas específicas.
- El Gerente Clínico y la Enfermera, Educadora de Partería mantendrán una lista de aquellos miembros del personal que están educados y practican terapias complementarias.
- La necesidad evaluada, la implementación y la evaluación de una terapia complementaria individual deben documentarse en el Registro de atención médica del paciente.

- Los problemas legales y éticos del consentimiento informado que los médicos deben seguir obligan a todas las terapias complementarias.
- La enfermera / partera debe aceptar la responsabilidad personal por la práctica de la aromaterapia.
- Evaluación
- La información sobre aromaterapia se debe dar a las pacientes en educación sobre el parto y al ingreso a la unidad.

Se brindará educación al paciente sobre aromaterapia basada en evidencia clínica, y la aromaterapia personal será devuelta a su hogar o encerrada con objetos de valor para evitar una exposición excesiva o inapropiada.

El cliente debe ser evaluado antes de cada tratamiento de aromaterapia para asegurarse de que no se hayan desarrollado contraindicaciones entre tratamientos.

Se debe realizar una evaluación continua de cualquier cambio en el trabajo de parto / posparto.

Los tratamientos de aromaterapia deben documentarse en las notas de los pacientes.

Para cada paciente, se debe completar una hoja de datos de evaluación utilizando una escala Likert previa y posterior para evaluar la respuesta al tratamiento.

La enfermera / partera solo practicará tratamientos de aromaterapia sujetos a la disponibilidad de tiempo y las necesidades del servicio. Los compromisos normales de enfermería / partería deben tener prioridad.

La seguridad de los pacientes, el personal y los visitantes es nuestra principal preocupación.

Criterios para utilizar la aromaterapia en el trabajo de parto

Criterios de inclusión

- Las mujeres que han sido evaluadas, no tienen contraindicaciones que requieran exclusión y hayan dado su consentimiento verbal al tratamiento.
- Mujeres en fase preestablecida / latente o fase establecida / activa del trabajo de parto.
- Antes de una cesárea electiva o de emergencia.
- Parto, posparto vaginal o cesárea.

Criterio de exclusión

· Trabajo de parto prematuro: solo spray de limón.

· Mujeres que no dan su consentimiento.

· Aversión materna.

· Alto riesgo, embarazo inestable.

· Eclampsia.

· Mala historia obstétrica.

· Cambio médico / obstétrico negativo en la condición.

· Las enfermeras y patronas embarazadas no deben realizar tratamientos de aromaterapia con aceites contraindicados para su etapa de embarazo. Contraindicaciones para el uso de aromaterapia en el parto.

VBAC o cicatriz uterina previa

· NO USE salvia, rosa otto o jazmín.

Personas con asma o fiebre del heno

· Precaución con el uso de lavanda o manzanilla romana.

Diabetes

· EVITE el eucalipto.

Infusión de Oxytocina/Pitocina en progreso

· EVITE el uso de Salvia esclarea

Parto en el agua

· EVITE los aceites esenciales en la bañera para evitar el contacto y proteger los ojos del bebé. Si desea aromaterapia, ofrezca una almohadilla de algodón con aceite esencial diluido para inhalar mientras está en la bañera.

Alergias a los cítricos.

· EVITE el uso de mandarina, limón, bergamota, yuzu y dulce naranja.

Anestesia epidural

· Usa solo métodos de inhalación.

· Cuando los aceites de aromaterapia se hayan utilizado para masajear la espalda, lave y seque bien antes de la inserción epidural.

· EVITE la salvia y la lavanda (aceites sedantes / hipotensores) después de la epidural hasta que la presión arterial se normalice.

Recursos

Los aceites esenciales siempre deben comprarse a un proveedor acreditado con análisis químico de espectrometría de masas por cromatografía de gases (GCMS) e información de MSDS para aceites esenciales individuales. Consulte la lista de compañías a continuación.

Los aceites esenciales serán ordenados por una enfermera calificada, aromaterapeuta de obstetricia y se almacenarán en un gabinete cerrado con acceso exclusivo para personal capacitado.
Botellas, inhaladores y suministros.

· Arlys: www.arlysnaturals.com
· Almacén de masajes: www.massagewarehouse.com
· SKS Bottle & Packaging, Inc .: www.sks-bottle.com
· Botella de especialidad: www.specialtybottle.com

Aceites esenciales en programas de aromaterapia clínica de enfermería hospitalaria o partería

- Absolute Aromas UK: www.absolute-aromas.com
- Absolute Aromas and Bastet Chile www.Bastetaromas.com
- Absolute Aromas Mexico and Shaktili www.shaktili.com
- **Arlys naturals** www.arlysnaturals.com
- Florihana (Francia): www.florihana.com
- Llama Púrpura (Reino Unido): www.purpleflame.co.uk
- Materia Aromática: www.materiaaromatica.com
- NHR Organic Oils (Reino Unido): www.nhrorganicoils.com

- Oshadhi www.oshadhi.com
- Oshadhi Espana www.oshadhi.es

Organizaciones de enfermería, partería y aromaterapia.
- Alianza de aromaterapeutas internacionales: www.alliance- aromatherapists.org
- Asociación Americana de Enfermeras Holísticas (AHNA): www.ahna. org
- Federación Canadiense de Aromaterapia (CFA): www.cfacanada.com
- Confederación Internacional de Matronas (ICM): www. internationalmidwives.org
- Federación Internacional de Aromaterapeutas Profesionales (IFPA) (Reino Unido): www.ifparoma.org
- Asociación Nacional de Aromaterapia Holística (NAHA): www.naha.org
- Royal College of Midwives (RCM) (Reino Unido): www.rcm.org.uk

Cursos educativos de aromaterapia sobre salud de la mujer para enfermeras y parteras
- Aromas para la curación: aromaterapia de salud de la mujer basada en evidencia clínica para enfermeras, parteras, doulas y terapeutas: www.aromasforhealing.com
- Expectativa: terapias naturales para nacimientos naturales: www. expectancy.co.uk
- Grupo de Facebook del autor: "Aromatip for Nurses, Midwives, Doulas and Therapists" Aromatip del mes para la salud y la felicidad: www.facebook.com/ groups / 165629196795770 "Enfermera de Aroma-Aromaterapia para la salud de mujeres y ninos"

Referencias

Abbaspoor, Z. y Mohammadkhani, S.L. (2013) "Masajes de aromaterapia de lavanda para reducir el dolor de parto y la duración del parto: un ensayo controlado aleatorio". African Journal of Pharmacy and Pharmacology 7, 8, 426–430.

Afshar, MK, Moghadam, ZB, Taghizadeh, Z., Bekhradi, R., Montazeri, A. y Mokhtari, P. (2015) "Aceite esencial de fragancia de lavanda y la calidad del sueño en mujeres posparto". 17, 4

Agustina, C., Hadi, H. y Widyawati, M.N. (2016) "Masaje de aromaterapia como alternativa para reducir el nivel de cortisol y mejorar la producción de leche materna en mujeres posparto primíparas en Semarang". Conferencia Internacional de la Asian Academic Society.

Agustie, P.R. et al. (2017) "Efecto del masaje de oxitocina con aceite esencial de lavanda sobre el nivel de prolactina y la producción de leche materna en madres primíparas después del parto por cesárea". Belitung Nursing Journal 3, 4, 337–344.

Apay, S.E., Arslan, S., Akpinar, R.B. y Celebioglu, A. (2012) "Efecto del masaje de aromaterapia sobre la dismenorrea en estudiantes turcos". Pain Management Nursing 13, 4, 236–240.

Asazawa, AD, Kato, Y., Yamaguchi, A. e Inoue, A. (2017) "El efecto del tratamiento de aromaterapia sobre la fatiga y la relajación de las madres durante el período puerperal temprano en Japón: un estudio piloto". International Journal of Community Basados en Enfermería y Partería 5, 4, 365–375.

Bakhtshirin, F., Abedi, S., YusefiZoj, P. y Razmjooee, D. (2015) "El efecto del masaje de aromaterapia con aceite de lavanda en la severidad de la dismenorrea primaria en estudiantes de Arsanjan". Iranian Journal of Nursing and Midwifery Research 20, 1, 156-160.

Hebilla, A. (2001) "El papel de la aromaterapia en la atención de enfermería". Clínicas de enfermería de América del Norte 36, 1, 57-72.

Burns, E., Zobbi, V., Panzeri, D., Oskrochi, R. y Regalia, A. (2007) "Aromaterapia en el parto: un ensayo piloto aleatorizado y controlado". BJOG 114, 7, 838–844.

Burns, E.E., Blamey, C., Ersser, S.J., Barnetson, L. y Lloyd, A.J. (2000) "Una investigación sobre el uso de la aromaterapia en la práctica de partería intraparto". Journal of Alternative and Complementary Medicine 6, 2, 141–147.

Chen, P.J., Chou, C.C., Yang, L., Tsai, Y.L., Chang, Y.C. y Liaw, J.J. (2017) "Efectos del masaje de aromaterapia sobre el estrés y la función inmune de las mujeres embarazadas: un ensayo controlado aleatorio, longitudinal y prospectivo". Journal of Alternative and Complementary Medicine 23, 10, 778-786.

Choi, S.Y., Kang, P., Lee, H.S. y Seol, G.H. (2014) "Efectos de la inhalación de aceite esencial de Citrus aurantium l var. amara sobre los síntomas de la menopausia, el estrés y el estrógeno en mujeres posmenopáusicas: un ensayo aleatorizado y controlado ". Medicina complementaria y alternativa basada en la evidencia, Epub 2014: 796518.

Collins Sharp, B.A., Taylor, D.L., Thomas, K.K., Killeen, M.B. y Dawood, M.Y. (2002) "Dolor e incomodidad perimenstrual cíclica: la base científica para la práctica". Journal of Obstetric, Gynecological, and Neonatal Nursing 31, 6, 637–649.

Conrad, P. y Adams, C. (2012) "Los efectos de la aromaterapia clínica para la ansiedad y la depresión en la mujer posparto de alto riesgo: un estudio piloto". Terapias complementarias en la práctica clínica 18, 3, 164–168.

Darsareh, F., Taavoni, S., Joolaee, S. y Haghani, H. (2012) "Efecto del masaje de aromaterapia sobre los síntomas de la menopausia: un ensayo clínico aleatorizado controlado con placebo". Menopausia 19, 9, 995-999.

Dhany, AL, Mitchell, T. y Foy, C. (2012) "Impacto del servicio intraparto de aromaterapia y masajes en el uso de analgesia y anestesia en mujeres en trabajo de parto: un análisis retrospectivo de notas de casos". Journal of Alternative and Complementary Medicine 18, 10 , 932–938.

Effati-Daryani, F., Mohammad-Alizadeh-Charandabi, S., Mirgafourvand, M., Taghizadeh, M. y Mohammadi, A. (2015) "Efecto de la crema de lavanda con o sin baño de pies sobre la ansiedad, el estrés y la depresión en el embarazo: un ensayo aleatorizado controlado con placebo ". Journal of Caring Sciences 4, 1, 63-73.

Eisenberg, D.M., Davis, R.B., Ettner, S.L., Appel, S. et al. (1998) "Tendencias en el uso de la medicina alternativa en los Estados Unidos, 1990-1997: Resultados de una encuesta nacional de seguimiento". Revista de la Asociación Médica Americana 280, 18, 1569-1576.

Ve, G.Y. y Park, H. (2017) "Efectos de la terapia de inhalación de aroma sobre el estrés, la ansiedad, la depresión y el sistema nervioso autónomo en mujeres embarazadas de alto riesgo". Korean Journal of Women Health Nursing 23, 1, 33-41.

Grand View Research (2017) Análisis de mercado de aromaterapia por producto (aceites esenciales, aceites portadores, equipos), por modo de suministro (tópico, aéreo, inhalación directa), por aplicación y pronósticos de segmento, 2018-2025. https://www.grandviewresearch.com/industry- analysis / aromatherapy-market

Hadi, N. y Hanid, A.A. (2011) "Esencia de lavanda para el dolor post-cesárea". Pakistan Journal of Biological Sciences 14, 11, 664-667.

Halbreich, U. (2003) "La etiología, la biología y la patología evolutiva de los síndromes premenstruales". Psychoneuroendocrinology 28, Supl. 3, 55-9 9)
Hammad, T.A. (2006) "Suicidio en pacientes pediátricos tratados con fármacos antidepresivos". Archives of General Psychiatry 63, 3, 332-339.

Han, S.H., Hur, M.H., Buckle, J., Choi, J. y Lee, M.S. (2006) "Efecto de aromaterapia sobre los síntomas de dismenorrea en estudiantes universitarios: un ensayo aleatorizado controlado con placebo ". Journal of Alternative and Complementary Medicine 12, 6, 535-541.

Hosseini, S., Heydari, A., Vakili, M., Moghadam, S. y Tazyky, S. (2016) "Efecto de la inhalación de esencia de lavanda en el nivel de ansiedad y cortisol en sangre en candidatos para cirugía a corazón abierto". Iranian Journal of Nursing and Midwifery Research 21, 4, 397-401.

Hur, M.H., Lee, M.S., Seong, K.Y. y Lee, M.K. (2012) "Masaje de aromaterapia en el abdomen para aliviar el dolor menstrual en niñas de secundaria: un estudio clínico preliminar controlado". Medicina complementaria y alternativa basada en la evidencia, Epub 2012: 187163.

Hur, M.H., Yang, Y.S. y Lee, M.S. (2008) "El masaje de aromaterapia afecta los síntomas de la menopausia en mujeres climatéricas coreanas: un ensayo clínico controlado por piloto". Medicina complementaria y alternativa basada en la evidencia 5, 3, 325-328.

Igarashi, T. (2013) "Efectos físicos y psicológicos de la inhalación de aromaterapia en mujeres embarazadas: un ensayo controlado aleatorio". Journal of Alternative and Complementary Medicine 19, 10, 805–810.

Imura, M., Misao, H. y Ushijima, H. (2006) "Los efectos psicológicos del masaje de aromaterapia en madres sanas posparto". Journal of Midwifery and Women's Health 51, 2, e21–27.

Johnson, P.J., Kozhimannil, K.B., Jou, J., Ghildayal, N. y Rockwood, T.H. (2016) "Uso de medicina complementaria y alternativa entre mujeres en edad reproductiva en los Estados Unidos". Problemas de salud de las mujeres 26, 1, 40–47.

Ju, H., Jones, M. y Mishra, G. (2014) "La prevalencia y los factores de riesgo de la dismenorrea". Epidemiologic Reviews 36, 104-113.

Kazemzadeh, R., Nikjou, R., Rostamnegad, M. y Nourouzi, H. (2016) "Efecto de la aromaterapia de lavanda en los sofocos de la menopausia: un ensayo clínico aleatorizado cruzado". Revista de la Asociación Médica China 79, 9, 489 –492.

Khadivzadeh, T. y Ghabel, M. (2012) "Uso de medicina complementaria y alternativa en el embarazo en Mashhad, Irán, 2007–8". Iranian Journal of Nursing and Midwifery Research 17, 4, 263–269.

Kheirkhah, M., Vali Pour, NS, Nisani, L. y Haghani, H. (2014) "Comparando los efectos de la aromaterapia con los aceites de otto de rosas y el baño caliente de pies sobre la ansiedad en la primera etapa del parto en mujeres nulíparas". Red Crescent Medical Journal 16, 9, e14455.

Kianpour, M., Mansouri, A., Mehrabi, T. y Asghari, G. (2016) "Efecto de la inhalación de esencias de lavanda en la prevención del estrés, la ansiedad y la depresión en el período posparto". Iranian Journal of Nursing and Midwifery Research 21 , 2, 197-201.

Kim, S., Song, J.A., Kim, M.E. y Hur, M.H. (2016) "Efectos de la aromaterapia sobre los síntomas de la menopausia, el estrés percibido y la depresión en mujeres de mediana edad: una revisión sistemática". Revista de la Academia Coreana de Enfermería 46, 5, 619-629.

Lee, K.B., Cho, E. y Kang, Y.S. (2014) "Cambios en los niveles plasmáticos de 5-hidroxitriptamina y cortisol en mujeres menopáusicas después de la inhalación de aceite de salvia". Phytotherapy Research 28, 11, 1599–1605.

Lee, M.K. y Hur, M.H. (2011) "Efectos del masaje de aromaterapia del cónyuge sobre el dolor de parto, la ansiedad y la satisfacción del parto para las mujeres que trabajan". Korean Journal of Women Health Nursing 17, 3, 195–204.

Lee, S.H. (2002) "Efectos del masaje de aromaterapia sobre la depresión, la autoestima, los síntomas climatéricos en las mujeres de mediana edad". Korean Journal of Women Health Nursing 8, 2, 278–288.

Lee, S.O. y Hwang, J.H. (2011) "Efectos del método de inhalación de aroma en la calidad subjetiva del sueño, ansiedad y depresión del estado en las madres después del parto por cesárea". Revista de la Academia Coreana de Fundamentos de Enfermería 18, 1, 54.

Marzouk, T.M.F., El-Nemer, A.M.R. y Baraka, H.N. (2013) "El efecto del masaje abdominal con aromaterapia para aliviar el dolor menstrual en estudiantes de enfermería: un estudio cruzado aleatorio prospectivo". Medicina complementaria y alternativa basada en la evidencia, Epub 2013: 742421.

Matsumoto, T., Asakura, H. y Hayashi, T. (2012) "Aumento de la cromogranina salival A en mujeres con estados de ánimo negativos severos en la fase premenstrual". Journal of Psychosomatic Obstetrics and Gynecology 33, 3, 120-128.

Matsumoto, T., Asakura, H. y Hayashi, T. (2013) "¿La aromaterapia de lavanda alivia los síntomas emocionales premenstruales? Un ensayo cruzado aleatorio. "Biopsychosocial Medicine 7, 1, 12.

Matsumoto, T., Kimura, T. y Hayashi, T. (2017) "¿La fragancia japonesa de los cítricos yuzu (Citrus junos Sieb. Ex Tanaka) tiene efectos terapéuticos similares a la lavanda que alivian los síntomas emocionales premenstruales?
 Un estudio cruzado aleatorio simple ciego. "Journal of Alternative and Complementary Medicine 23, 6, 461-470.

Metawie, M.A.H., Amasha, H.A., Abdraboo, R.A. y Ali, S.A. (2013)
"Eficacia del aroma en la publicación de alivio
dolor por incisión cesárea. "Journal of Surgery 3, 2-1, 8-13.

Mikaningtyas, E. y col. (2017) "Masaje Lacta con aceite esencial de hinojo para aumentar los niveles de la hormona prolactina en madres posparto". International Journal of Science and Research.

Milewicz, A. y Jedrzejuk, D. (2006) "Síndrome premenstrual: de la etiología al tratamiento". Maturitas 55, Supl. 1, S47-54.

Murakami, S., Shirota, T., Hayashi, S. e Ishizuka, B. (2005) "Aromaterapia para pacientes ambulatorias con síntomas menopáusicos en obstetricia y ginecología".

Revista de medicina alternativa y complementaria 11, 3, 491-494.

Namazi, M., Amir Ali Akbaria, S., Mojab, F., Talebi, A., Alavi Majd, H. y Jannesari, S. (2014) "Aromaterapia con aceite de cítricos aurantium y ansiedad durante la primera etapa del parto. "Diario médico iraní de la Media Luna Roja 16, 6,

Nikjou, R., Kazemzadeh, R., Rostamnegad, M., Moshfegi, S., Karimollahi, M. y Salehi, H. (2016) "El efecto de la aromaterapia de lavanda en la severidad del dolor de la dismenorrea primaria: un triple ciego ensayo clínico aleatorizado ". Annals of Medical and Health Sciences Research 6, 4, 211-215.

Premio Nobel (2004) "El Premio Nobel de Fisiología o Medicina 2004". Consultado el 15 de octubre de 2018 en www.nobelprize.org/prizes/ medicine / 2004 / summary

Olapour, A., Behaeen, K., Akhondzadeh, R., Soltani, F., al Sadat Razavi, F. y Bekhradi, R. (2013) "El efecto de la inhalación de la mezcla de aromaterapia que contiene aceite esencial de lavanda sobre el dolor postoperatorio por cesárea . "Anestesiología y medicina del dolor 3, 1, 203-207.

Ou, M.C., Hsu, T.F., Lai, A.C., Lin, Y.T. y Lin, C.C. (2012) "Evaluación del alivio del dolor mediante masaje con aceites esenciales aromáticos en pacientes ambulatorios con dismenorrea primaria: un ensayo clínico aleatorizado, doble ciego". Journal of Obstetrics and Gynecology Research 38, 5, 817-822.

Pallivalapila, A.R., Stewart, D., Shetty, A., Pande, B., Singh, R. y McLay, J.S. (2015) "Uso de medicamentos complementarios y alternativos durante el tercer trimestre". Obstetricia y ginecología 125, 1, 204-211.

Peng, W., Adams, J., Hickman, L. y Sibbritt, D.W. (2014) "Uso de medicina complementaria / alternativa y convencional entre mujeres menopáusicas: resultados del Estudio longitudinal australiano sobre la salud de la mujer". Maturitas 79, 3, 340-342.

Raisi Dehkordi, Z., Hosseini Baharanchi, F.S. y Bekhradi, R. (2014) "Efecto de la inhalación de lavanda sobre los síntomas de la dismenorrea primaria y la cantidad de sangrado menstrual: un ensayo clínico aleatorizado". Terapias complementarias en medicina 22, 2, 212-219.

Rapkin, A.J. y Akopians, A.L. (2012) "Fisiopatología del síndrome premenstrual y el trastorno disfórico premenstrual". Menopause International 18, 2, 52-59.

Rashidi-Fakari, F., Tabatabaeichehr, M., Kamali, H., Rashidi-Fakari, F. y Naseri, M. (2015) "Efecto de la inhalación del aroma de la esencia de geranio sobre la ansiedad y los parámetros fisiológicos durante la primera etapa del parto en mujeres nulíparas: un ensayo clínico aleatorizado ". Journal of Caring Sciences 4, 2, 135-141.

Rashidi-Fakari, F., Tabatabaeichehr, M. y Mortazavi, H. (2015) "El efecto de la aromaterapia con aceite esencial de naranja sobre la ansiedad durante el parto: un ensayo clínico aleatorizado". Iranian Journal of Nursing and Midwifery Research 20, 6 , 661-664.

Sadeghi Aval Shahr, H., Saadat, M., Kheirkhah, M. y Saadat, E. (2015) "El efecto del masaje de auto-aromaterapia del abdomen en la dismenorrea primaria". Journal of Obstetrics and Gynecology 35, 4, 382-385.

Seo, H.K. y Park, K.S. (2003) "Un estudio sobre los efectos del método de inhalación de aroma utilizando aceite esencial de clary sage sobre el estrés en mujeres de mediana edad". Korean Journal of Women Health Nursing 9, 1, 70-79.

Sharma, P., Malhotra, C., Taneja, D.K. y Saha, R. (2008) "Problemas relacionados con la menstruación entre las adolescentes". Indian Journal of Pediatrics 75, 2, 125-129.

Shinohara, K., Doi, H., Kumagai, C., Sawano, E. y Tarumi, W. (2017) "Efectos de la exposición a aceites esenciales en la concentración de estrógenos salivales en mujeres perimenopáusicas". Neuro Endocrinology Letters 37, 8, 567 -572.

Sibbald, B. (2004) "Rofecoxib (Vioxx) retirado voluntariamente del mercado". Canadian Medical Association Journal 171, 9, 1027-1028.

Sibbritt, D.W., Catling, C.J., Adams, J., Shaw, A.J. y Homer, C.S. (2014) "El uso auto-prescrito de aceites de aromaterapia por mujeres embarazadas". Mujeres y nacimientos 27, 1, 41-45.

Hijo H.O. y Kim, H.N. (2013) "Efectos del masaje aromático de espalda en el alivio del estrés de las mujeres de mediana edad". Revista de la Sociedad Coreana de Estética y Cosmeceutica 8, 2, 111-123.

Sut, N. y Kahyaoglu-Sut, H. (2017) "Efecto del masaje de aromaterapia sobre el dolor en la dismenorrea primaria: un metanálisis". Terapias complementarias en la práctica clínica 27, 5-10.

Taavoni, S., Darsareh, F., Joolaee, S. y Haghani, H. (2013) "El efecto de un durante el parto: un ensayo controlado aleatorio. "Archives of Gynecology and Obstetrics 297, 5, 1145-1150.

Tiran, D. (2016) Aromaterapia en la práctica de la partería. Londres: Dragón cantante.

Administración de Alimentos y Medicamentos de EE. UU. (2004) FDA News. "La FDA emite un aviso de salud pública sobre Vioxx cuando su fabricante retira voluntariamente Producto. "30 de septiembre de 2004. www.fda.gov.

Uysal, M., Doğru, H.Y., Sapmaz, E., Tas, U. et al. (2016) "Investigación del efecto del aceite esencial de rosa de otto en pacientes con dismenorrea primaria". Terapias complementarias en la práctica clínica 24, 45-49.

Uzuncakmak, T. y Alkaya, S.A. (2017) "Efecto de la aromaterapia en el manejo del síndrome premenstrual: un ensayo controlado aleatorio". Terapias complementarias en medicina 36, 63-67.

Vakilian, K., Atarha, M., Bekhradi, R. y Charman, R. (2011) "Ventajas curativas del aceite esencial de lavanda durante la recuperación de la episiotomía: un ensayo clínico". Terapias complementarias en la práctica clínica 17, 1, 50-53 .

Vargesson, N. (2015) "Teratogénesis inducida por talidomida: historia y mecanismos". Investigación de defectos de nacimiento, Parte C Embrión hoy: Revisiones 105, 2, 140-156.

Vaziri, F., Shiravani, M., Najib, F.S., Pourahmad, S., Salehi, A. y Yazdanpanahi, Z. (2017) "Efecto del aroma del aceite de lavanda en las primeras horas del posparto sobre los dolores maternos, la fatiga y el estado de ánimo: un ensayo clínico aleatorizado". International Journal of Preventive Medicine 8, 29.

Watanabe, E., Kuchta, K., Kimura, M., Rauwald, HW, Kamei, T. e Imanishi, J. (2015) "Efectos de la aromaterapia con aceite esencial de bergamota en los estados de ánimo, la actividad del sistema nervioso parasimpático y el cortisol salival niveles en 41 mujeres sanas ". Forschende Komplementarmedizin 22, 1, 43-49.

Wei, G., Greaver, LB, Marson, SM, Herndon, CH, Rogers, J. y Robeson Healthcare Corporation (2008) "Depresión posparto: diferencias raciales y disparidades étnicas en una población trirracial y biétnica". y Child Health Journal 12, 6, 699-707.

Wittchen, H.-U., Becker, E., Lieb, R. y Krause, P. (2002) "Prevalencia, incidencia y estabilidad del trastorno disfórico premenstrual en la comunidad". Psychological Medicine 32, 1, 119-132.

Yavari, KP, Safajou, F., Shahnazi, M. y Nazemiyeh, H. (2014) "El efecto de la aromaterapia por inhalación de limón sobre las náuseas y los vómitos del embarazo: un ensayo clínico controlado, aleatorizado y doble ciego". Media Luna Roja Iraní. Medical Journal 16, 3, e14360.

Yazdkhasti, M. y Pirak, A. (2016) "El efecto de la aromaterapia con esencia de lavanda en la severidad del dolor de parto y la duración del parto en mujeres primíparas". Terapias complementarias en la práctica clínica 25, 81-86.

Yokoyama, K. y Araki, S. (1994) Manual de la traducción japonesa de POMS. Tokio: Kaneko Shobo.

Made in the USA
Monee, IL
29 October 2021